オイシい場面《ところ》がつながる

つまみ食い世界史

A Book to Fall in Love with World History Simply From Browsing

歴史の謎研究会［編］

青春出版社

世界史は「舞台裏」が一番おもしろい！——はじめに

世界史というと漠然としていて、イメージをつかみづらいという人は少なくないはずです。日本の歴史ならまだしも、世界史となると、さまざまな地域で〝同時多発的〟にたくさんの人が登場し、いろいろな事件が起きるからかもしれません。

でも、そういうことで世界史を敬遠しているなら、ぜひ本書を手にとってみてください。オイシい場面《ところ》がつながる〝お勉強感ゼロ〟の世界史教室です。興味のあるところを〝つまみ食い〟しながら読みすすめてみましょう。それだけで世界史の「流れ」と「ポイント」が面白いほど頭に入るはずです。

たとえば、いまだに解けない人類誕生の〝ミッシング・リンク〟とは何か。海底に沈んだクレオパトラの都はどこにあるのか。モンゴル帝国が〝世界最大の帝国〟となった理由とは？　などエピソードが満載です。

他人に話したくなる世界史の舞台裏を楽しみながら、気づけば一生モノの世界史の知識が身につくでしょう。

２０２０年１月

歴史の謎研究会

オイシい場面《ところ》がつながる　つまみ食い世界史■目次

目　次

2章

これなら世界史の「流れ」と「ポイント」がどんどん頭に入る……91

特集1

遺された「痕跡」から世界史の謎を楽しむ方法……159

3章

4章

その〝街〟で、一体何が起きたか〈ヨーロッパ編〉……231

特集２

カバー・本文写真／WINS86/shutterstock.com
Devotion/shutterstock.com
Andrey_Kuzmin/shutterstock.com
ＤＴＰ／フジマックオフィス
制作／新井イッセー事務所

プロローグ

世界史は「舞台裏」から見れば、おもしろい！

「アルプス超え」のナポレオンの目的地はどこ？

ナポレオンと聞いて多くの人が思い浮かべるのは、馬に乗って山道を行く勇壮な姿を描いた絵画ではないだろうか。

ナポレオンの首席画家ジャック＝ルイ・ダヴィッドが描いた『ベルナール峠からアルプスを越えるボナパルト』と題されたこの作品は、同じ構図で5枚も描かれた。

じつは、ここに描かれているのは、１８００年に第二次イタリア遠征を行ったときの一場面である。つまり、この絵画の中でナポレオンが右手を

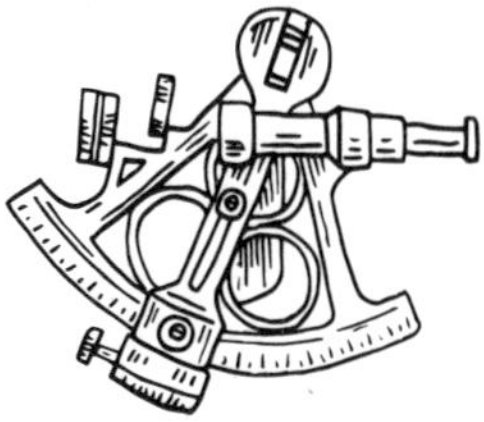

掲げて指さしているのは、これから自分の支配下に置こうとしているイタリアなのだ。

自信に満ちたその表情からも、まさに自分の時代が到来したことに至極満足しているナポレオンの意気揚々とした気分が見てとれる。

ただし、実際にナポレオンが乗っていたのは、絵画のような美しい馬ではなく、ロバだったらしい。

なぜロバだったかの理由については、「山道だったのでロバのほうが歩きやすかった」「ナポレオンは身長が低く乗馬がヘタで、馬は乗りこなせなかった」などの説があるが、正確なことはわかっていない。

チンギス・ハーンの墓はどこにある？

「自分の墓を隠せ」

これがチンギス・ハーンの遺言だった。それが理由かどうかはわからないが、チンギス・ハーンがどこに葬られているかは今だに謎のままである。

13世紀初頭、チンギス・ハーンはその圧倒的な軍事力により東は中国から、西はヨーロッパの一部までを大モンゴル帝国として支配した。

信仰の自由を許す鷹揚《おうよう》さを示す一方で、謀反が起これば大量虐殺で報復するようなやり方を駆使してその勢力を広げていったが、自分の死期が近づくと、それが対抗勢力に知られるのを恐れた。彼の死を知る者はすべて殺されたといわれる。そして当然、その墓の場所も不明なのだ。

しかし近年の研究で、埋葬地はブルハン・ハルドゥンではないかと推測されている。ここはモンゴル発祥の聖地で、じつはチンギス・ハーンは幼少期にこの山の麓で生活していたことがあるのだ。

ところが困ったことに、現在、ブルハン・ハルドゥンという場所は19か所も存在している。

じつはこの地名は固有名詞ではなく、「部族のもっとも偉い人を埋葬した土地」という意味があるからだ。

そんなわけで、今もモンゴルの英雄の墓は特定されていないのだ。

「モーゼの奇跡」は奇跡ではなかった？

海が割れて、道ができ、その道をモーゼに導かれたイスラエルの人々が歩いて渡る――。往年のハリウッド映画『十戒』のクライマックスでも有名な『旧約聖書』の「出エジプト記」の一場面である。モーゼが起こした奇跡によって、エジプト軍から追われた大勢のイスラエル人たちが救われたと伝えられている。

しかし、これは本当に奇跡なのだろうか。じつは現在では、条件さえ整えば誰もがモーゼの奇跡を起こすことができるといわれている。

エジプト付近の地図を見ると、メンザレ海からスエズ湾にかけて湿地帯が広がっていることがわかる。ここを通り抜けなければエジプトから脱出することはできない。

おそらくモーゼは潮の満ち干のことを知っており、もっとも水位の低い時間帯を選び、しかも湿地帯の中でも乾いている場所を選んで歩いたのではないかと考えられている。そこを狙ってすばやく行動すれば不可能ではないだろう。

一方、追っ手のエジプト軍は甲冑を身につけ重戦車で移動していたはずだ。だから迅速に動くことができず、満ち潮の海に飲み込まれたのだろう。

科学的知識が奇跡を起こしたともいえるのだ。

「ロンドン橋」が、歴史上何度もかけ直されたワケ

日本でもよく知られている「ロンドン橋落ちた」という童謡は、ふりつけもあって子供のための楽しい歌だと思われている。

しかし、じつはこれは単なる童謡ではなく、現実にテムズ川にかかるロンドン橋に起こった悲劇の歴史を歌っている。実際、ロンドン橋は何度も繰り返し破壊され、そのたびにかけ替えられてきたのだ。

ロンドン橋は、とくに10世紀から12世紀にかけて数々の数奇な運命にみまわれた。11世紀にはロンドン市内に攻めこんできたヴァイキングやサクソン人によって破壊されている。

たとえば、１０１４年にはロンドンに遠征したノルウェー王により破壊されたという記録がある。また、洪水や火災で失われることも一度や二度ではなかった。

それが理由で１２０９年に石造りになり、おかげで橋全体が破壊されることはなくなったが、この巨大な橋の上には礼拝堂や民家などもあり、１５５３年の宗教改革のときには礼拝堂が取り壊された。

現在のロンドン橋が開通したのは１９７３年。近年ではテロの発生現場にもなっており、ロンドン橋はかわいらしい童謡とは裏腹に、悲劇の舞台となった橋なのである。

「最後の晩餐」はいつ行われたのか？

世界で最も有名な絵画のひとつである『最後の晩餐』は、レオナルド・ダ・ヴィンチがミラノのサンタ・マリア・デッレ・グラツィエ修道院の壁画として描いたものだ。

１４９５〜１４９８年に制作されたこの絵に描かれているのは、キリストが処刑される前の最後の食事をしている場面で、キリストを取り巻く12使徒が明確に描き分けられ、キリストから見て右側の３番目には、キリストを売った裏切り者のユダも描かれている。

ところで、最後の晩餐とはいったい何曜日だったのだろうか。

聖書には、キリストが十字架にかけられて処刑されたのは「ニサンの月の金曜日」だという記述がある。

金曜日の朝から準備が始まり、午後３時頃に処刑され、そしてその遺体は土曜日（安息日）が始まる金曜日の日没前に葬られたことになっている。さらに土曜日（安息日）は墓の中におり、日曜日の朝早くに復活するのである。

これをもとに考えると、最後の晩餐は金曜日の前日、つまり木曜日に行われたことになる。じつは、キリスト教社会には「聖なる木曜日」という考え方がある。これはキリストが最後の晩餐を行ったことに由来するのだ。

ただし、これには諸説あり、確定的な結論は出ていない。

デンマークの白い砂浜にヒトラーが忘れたものとは？

ナチスドイツが残した非人道的な行為の痕跡は、今も数多く残されているが、あまり知られていないもののひとつにデンマークの地雷がある。

連合軍が海から上陸するのを食い止めるために、デンマークの西海岸の白い砂に地雷を埋めたのだ。その数は何と２００万個といわれている。

第二次大戦後の１９４５年、デンマークはその地雷撤去をしなければならなかった。撤去作業に駆り出されたのは、なんと戦時中に捕虜になった元ドイツ兵約２０００人であり、その半数以上は少年兵だった。

ナチスドイツが残した戦争の爪痕をそのドイツの子供たちに償わせることが人道的に正しいかどうかの議論は別にして、実際、この地雷撤去作業に携わった半数以上のドイツ人が命を落としたり、手足を失ったりしている。もちろん多くの子供たちも犠牲になった。ヒトラーは戦争が終わったあともなお、恐ろしい置き土産を残していたのだ。

この史実は世界的にはあまり知られていないが、２０１６年に、デンマークとドイツの合作により『ヒトラーの忘れもの』というタイトルで映画にもなっている。

西太后が紫禁城でふるった暴君ぶりは本当か？

北京を訪れた観光客の多くが訪れる場所のひとつに紫禁城がある。現在は「故宮」と呼ばれるこの場所は、高さ約12メートルの城壁と50メートル幅の濠に囲まれた南北９６０メートル、東西７５０メートルの広大な土地に、大小70以上の宮殿が造られている。１４２０年に完成してから約５００年の間に24人の皇帝がここで暮らしている。

そのなかでも異彩を放つのが、西太后である。

18歳で咸豊帝に嫁いだ彼女は、咸豊帝の死後にあとを継いだ息子の後ろ盾となり政治の実権を握った。そして自分の権力を守るために、周囲にいる人間を次々と残虐な方法で亡き者にしていく。〝中国三大悪女〟のひとりに数えられる暴君なのである。

最初に権力を手にしたとき、これに反対する8人の大臣がいたが、西太后はすぐに彼らを捕え、手足を1本ずつ切断していたぶりながら殺すという残虐な方法で処刑している。

これ以降もその残虐性はエスカレートして、自分にとって邪魔な存在と知ると「殺せ、すぐに殺せ」と叫ぶのが口癖で、高いところに吊るして落としたり、井戸に投げ込んだりしたといわれる。

これらの逸話はフィクションともいわれるが、しかし実際にサディスティックな性格だったことは確かなようで、憎悪の感情をエネルギーにして紫禁城に悪しき伝説を残したのである。

アンコールワットの「第三回廊」はなぜ立ち入り禁止？

カンボジアの観光名所として真っ先に名前があがるのが「アンコールワット」だ。12世紀前半にアンコール王朝のスーリヤヴァルマン2世によって建てられたヒンズー教の大規模な寺院で、周囲を環濠に囲まれた三重の回廊と5基の塔堂が息を飲むほど美しい。独特の造形美といえるだろう。

ところで、ここを訪れる者はまず「第一回廊」から歩き始めて「第二回廊」へと移動していき、その景観と美術を堪能するのが定番のコースだ。同時に、自分のいる場所が少しずつ高くなっていくことに気づくだろう。

じつはこの寺院は、歩く者の目線が少しずつ上を向くように設計されているので、いやでも高揚感を掻き立てられるのだ。しかし、問題はその先だ。

じつは「第三回廊」は現在、限定的に立ち入り禁止である。それはなぜか。

第三回廊への傾斜があまりにも急だからだ。無理に登ろうとすれば必ず恐怖心に襲われる。すこしでも強い風が吹けばそのまま真っ逆さまに落ちてしまいそうになる。あまりの危険と恐怖のために、現在はカンボジアの仏日（月に4～5回）には立ち入り禁止になっているのだ。

しかし、それほどの恐怖を掻き立てられる場所があること自体がアンコールワットの神秘的な魅力のひとつでもあるのだ。

「王の小道」はどうして断崖絶壁に貼りついている？

道幅は約1メートル、それが約3キロも続いている。これだけ聞くとふつうの道に思えるが、その道は断崖絶壁に貼りついており、眼下に広がるのは高さ230メートルの何もない空間だ。

実際にその道を歩けば空中に伸びた幅の狭い道を進むような感覚で、生きた心地はしないだろう。足元をちょっと踏み外しただけでも真っ逆さまに落ちてしまうのだ。

その道があるのは、スペイン、マラガ県アロラ近郊にあるグアダルオルセ川の渓谷だ。ほぼ垂直の断崖絶壁に沿って造られており、コンクリートは薄く、しかも古いので、いたるところで剥がれ落ちている。

そのうえ補強のための鉄の支柱もあちこちでむき出しになっていて、その役目をほとんど果たしていない。

皮肉なことに「王の道」（エル・カミニート・デル・レイ）と名づけられたこの道は、もともとは１９０５年に近くの治水工事のための資材運搬や人夫の移動のために造られた。

長い間、使う人もいない道として放置され、ロッククライミングを楽しむ人たちがトレーニングに使うくらいだった。

しかし、２０１５年に大規模な改修工事が終了して、現在はそれなりに安全に歩ける観光スポットになっている。とはいえ、道幅の狭さと卒倒しそうな高さは変わらない。もしも歩くなら、かなりの恐怖を覚悟し、勇気をもってのぞむことが必要だ。

ベスビオ火山の噴火で埋もれた街は、ポンペイだけ？

噴火で埋もれた街といえばイタリアのポンペイが有名だが、実は同じ噴火で埋もれた街はほかにもある。そのひとつがヘルクラネウムだ。

ポンペイはベスビオ山の南に位置し、火山礫に対してヘルクラネウムは西側に位置し火砕流に襲われた。その結果、20メートルもの堆積物に覆われ、約1700年という深い眠りにつくのである。

現在、発掘されているのはごく一部だが、浴場や劇場が設けられ、また道路はまっすぐで直角に交差していることから、街は計画的に建てられたものと考えられている。

また、これまで人々は逃げ切ったものと考えられてきたが、約40年前の調査の際、港から多数の遺体が発見されている。多くの人々が火砕流から逃れるためにここまで逃げたものの、結局死亡していたことが判明したのである。

ルーヴル美術館の『モナ・リザ』は本物？

神秘的な微笑みで知られる『モナ・リザ』。この絵はレオナルド・ダ・ヴィンチが1503年～1505年頃に描いたもので、現在イタリアのルーヴル美術館に飾られている。

『モナ・リザ』にはその微笑のほかにいくつもの謎が隠されているが、最大の謎がルーヴル美術館の『モナ・リザ』は本物か否かということだ。以前から『モナ・リザ』は2枚あるといわれており、美術館にあるのはニセモノだという説が根強く唱えられている。

その根拠のひとつが、ルネサンス期に書かれた『レオナルド・ダ・ヴィンチ伝』の中の『モナ・リザ』と、美術館の『モナ・リザ』が大きくかけ離れているということだ。

書物によれば、『モナ・リザ』には眉毛やまつ毛があり、モデルは24、25歳の女性だという。しかし美術館の絵は眉毛もまつ毛もなく、30～40歳というのが定説だ。

また『モナ・リザ』は1911年、盗難にあっている。発見されるのはそれから2年半近くも経った時のことで、この空白の時間に贋作がつくられ、それが現在飾られているという説もあるのだ。

いったいどれが本物なのか、真実の絵は作者のみぞ知る、ということなのだろうか。

ピサの斜塔が斜めに建てられているのはなぜ？

イタリアのピサの斜塔は、中世の都市国家ピサが1063年に「パレルモの海戦」で大勝したのを記念して建てた大聖堂の一部である。最終的に完成したのは1350年だが、記念の建物であるにもかかわらず、なぜ斜めに建てられてしまったのだろうか。

8層から成るピサの斜塔は最初、まっすぐに建てられていた。しかし、3階まで造ったところで土台の片方が地面にのめり込んで傾き始めてしまったのである。

そして、学者たちの緻密な計算によって傾いたまま完成させても倒れることがないとわかったため、上部で重心の位置を調整しながら造っていったのだ。

ガリレオが斜塔の上から重りを落下させて重力の実験を行ったともいわれているが、年々、その傾きは増す一方で、倒壊の危険さえあったが、1990年から2001年の間に行われた工事によって3・99度に是正された。

ロンドン塔の最後の囚人といえば誰？

１０７８年、ウィリアム１世がロンドン市民を制圧するために建てた砦がロンドン塔だ。テームズ川左岸に立つこの塔は一時期、宮殿としても使われたが牢獄としての歴史のほうが長く、血塗られたエピソードが数多く残されている。

その代表的な話が２人の王子の暗殺事件だ。１４００年代後半、まだ13歳だった王子エドワードと弟のヨーク公は、叔父の陰謀によってロンドン塔に幽閉されてしまう。

２人が発見されたのはそれから２００年も経った17世紀のことで、階段を修復していた労働者が２人の白骨を発見するのだ。

ほかにもヘンリー８世の２人目の王妃アンは姦通罪の濡れ衣でロンドン塔に幽閉されたのちに処刑され、５番目の王妃キャサリンもここで処刑される。最後の囚人は、あのアウシュヴィッツ収容所の所長で、ナチス副党首だったルドルフ・ヘスだった。

こうしてロンドン塔は、その忌まわしい役目にピリオドを打つのである。

自由の女神像はエジプトに建つはずだった？

ニューヨークのマンハッタン島に建つ自由の女神像。アメリカ独立100周年にフランスから贈られたことは有名な話だが、実は本来この像はエジプトのために造られたという秘話があるのだ。

建築家フレデリック・バルトルディはエジプトを訪れた際、スフィンクスよりもさらに大きな灯台兼女神像をスエズ運河に建立する構想を生み出した。

しかし資金集めが思うように進まず、計画は断念した。結局、アメリカの独立を助けたフランスからアメリカへの贈り物として、当初のサイズよりも小ぶりの女神像がつくられたという。

「禁酒法」がアメリカ最大の失政といわれるのは？

アル・カポネといえば、アメリカ史上悪名高いマフィアの大ボスだ。以来、アメリカの暗黒街はマフィアやギャングに牛耳られている。実は、彼らを暗躍させたのが1920年に制定された「禁酒法」だった。

禁酒法はアルコール飲料の製造と輸出入を禁じた法律で、第一次世界大戦後の不況など社会的混乱が背景にあった。さらに酒の製造業に携わっていた多くが、大戦時に敵対したドイツの移民たちだったことも要因のひとつである。

しかし、この法律はかえって密造や密輸入を横行させることとなった。そうした組織を支配したのがカポネらのマフィアで、彼らは禁酒法で莫大な富を築いたのだ。

法律そのものは1933年には撤廃されたが、マフィア勢力を拡大させたこの法は、今もアメリカ最大の失策といわれている。

〝ケネディ家の呪い〟って実際どういうものだった？

あまりにも衝撃的だった1963年の「ケネディ大統領暗殺事件」だが、実はこれ以外にもケネディ一族をめぐっては実に多くの悲劇がつきまとっている。

まずケネディの長兄、妹キャサリン、そして実子のケネディJr.はいずれも飛行機事故で、さらに弟のロバートは暗殺され、その息子2人はそれぞれ麻薬とスキー事故で死亡している。

ほかにもケネディの次男が生後間もなく死亡するなど呪われたかのようなできごとは後を絶たない。しかし皮肉にも一族に悲劇が起きたことで、ケネディ家は歴史上いつまでも語り継がれるのである。

北京原人の骨はいったいどこに消えた？

1920年代、人類の進化の謎を解く貴重な骨の化石が発見された。中国の周口店付近で見つかった北京原人の骨である。

最初に歯の骨が、続いて完全な頭蓋骨が発掘され、北京原人の存在は決定的になる。

しかし、この北京原人の骨はある日、忽然と姿を消してしまう。

時は太平洋戦争の真っ只中、当時の日本軍が北京へと進攻してくるのを知った中国は一計を案じる。

北京原人の骨が略奪されるのを恐れてアメリカへ移送して保存することを計画したのだ。

だがなんと、骨は搬送の途中に姿を消してしまうのだ。

これには、運搬していた船を日本軍が撃沈した、アメリカ軍の兵営までは運ばれたがそれ以降に行方不明になった、日本軍が略奪して今も日本のどこかにある、運搬される以前にすでに紛失していた、などの諸説がある。

いずれにしろ、行方は今なお知れないのだ。

もしかすると今世紀中に発見されて、再び人類をあっと驚かせることがあるかもしれない。

国家を破滅させるほどって楊貴妃はどれほど美人だった？

世界三大美女の1人といわれる楊貴妃だが、彼女は唐を滅亡に導いた「傾国の美女」という側面ももっている。

唐の6代皇帝・玄宗は善政を行った名君だったが、晩年は息子の后だった楊貴妃に入れ込んで自分の貴妃とし、溺愛するばかりに国政を疎かにして混乱させていく。

そして、ついには反乱を招いて玄宗は退位させられ、楊貴妃は処刑されてしまうという悲劇を迎えるのだ。この事件以降、唐は弱化の一途をたどって滅亡への道を突き進むことになる。

ところで、国の存亡まで傾けた楊貴妃の美貌とはどのようなものだったのか。

楊貴妃の容貌の美しさはたしかに万人が認めるものだったが、彼女は音楽や舞などの才にも秀でていたといわれる。まさに才色兼備の女性だったのだ。

そんな楊貴妃だが、昨今のモデルや女優のようなスレンダーな美女を想像するかもしれないが、実際はちょっと違う。いわゆる〝ぽっちゃりタイプ〟だったようだ。

3つの宗教が混在するエローラ石窟寺院の謎とは？

インド最大の石窟寺院であるエローラは、他の寺院に例を見ない不思議な特徴を持っている。

仏教、ヒンドゥー教、ジャイナ教という3つの宗教がひとつの寺院に混在しているのだ。

一神教のキリスト教徒やイスラム教徒には信じられない話だろうが、3つの宗教は互いを壊すことなくうまい具合に融合している。

仏教の中にはヒンドゥー教の神が名前を変えて登場するし、その逆の例もある。

また、ジャイナ教は仏教とヒンドゥー教の影響を受けて誕生した宗教なので、対立を生まなかったのだろう。

昔から宗教の対立は世界中で戦争の悲劇を呼んでいるが、エローラ石窟寺院のような共存はめずらしい。

諸葛孔明が結婚したお相手は？

「三国志」の英雄のひとり、諸葛亮《しょかつりょう》（孔明《こうめい》）は数々の伝説的な策略を提唱して劉備《りゅうび》を支えた名宰相として名高いが、彼の嫁選びもまた才知に長けた諸葛亮ならではといえるだろう。

驚くことに諸葛亮の妻は不器量な女性だったと伝えられている。それは人々から「孔明の嫁選びを真似するな」と言われるほどだったという。

なぜ、彼はそういう相手を妻に迎えたのだろうか。

実は、諸葛亮の才能に惚れ込んだ土地の名士・黄承彦が自分の娘を売り込んだのだ。黄承彦が言うには「娘は髪が赤く、顔は浅黒くて不器量だが、頭脳は明晰で知識も幅広い。きっと貴方のお役に立つはずだ」というのである。

　こうして結婚した諸葛亮だったが、彼女は実際に賢妻としてすばらしい内助の功を発揮して諸葛亮を助け、支えたといわれている。

古代人は、右利きだった？ 左利きだった？

　人類の大半は右利きで、左利きは全人類の5～10パーセント程度だといわれているが、実はこれは遥か古代から同じだった。

　その証拠は、アウストラロピテクスが狩りで捕らえた58頭のヒヒの頭骨にある。このうち47頭は前頭部左側、8頭は後頭部左側、そして3頭は前から右側を殴られていた。この傷跡から、やはり左利きの古代人も現代人とほぼ同じ割合で存在したと考えられるのである。

　利き腕については今も正確にわかっていないが、一説には人類が狩猟を始めた頃から心臓のある左胸を守るため右利きになったともいわれる。いずれにせよ、数百万年前から人類は右利きが圧倒的に多かったようだ。

死後の世界のガイド『死者の書』の中身とは？

エジプトの考古遺跡といえばギザのピラミッドが有名だが、ナイル川をさらに上ったルクソールもまた遺跡の宝庫である。特にナイル西岸の「王家の谷」はツタンカーメン、トトメス3世、ラムセス4世といった歴代ファラオの墓が多く発見された場所だ。

ミイラづくりに象徴されるように古代エジプト人は死者が来世で蘇ると信じていた。それに基づき、これらの王墓に入れられていたのが「死者の書」である。

「死者の書」はパピルスにヒエログリフで描かれミイラの胸に納めたようだが、墓そのものに壁画のように書かれる場合もあった。

そこには、冥界をどのように歩けばいいか、神々にどのような呪文を唱えればいいかなど、死者があの世ですべき行動の数々が描かれていた。しかも後で文字が削れてもいいように一緒に絵を描いて図解もしていたというから、その念の入れようには恐れ入る。

つまり、「死者の書」とは懇切丁寧に描かれた死後の世界のガイドブックなのである。

クレオパトラは、実は1人ではなかった？

エジプト文明の最後を飾ったプトレマイオス王朝の女王といえばクレオパトラだ。ローマ帝国の皇帝カエサルと同等に渡り合い、のちに権力争いに巻き込まれ悲劇的な最期を遂げた女王だが、実はクレオパトラという名の人物は彼女だけでないことをご存知だろうか。

一般に知られているのはクレオパトラ7世である。つまり、その前には6人の同じ名の王女がいるというわけだ。どうやらクレオパトラという名はエジプトではあまり珍しくないらしい。

ところで、彼女の美貌ぶりは世界三大美女に数えられるほどだが、実際はそうでもなかったらしい。むしろ評価すべきは、男性顔負けの政治手腕だといわれている。

1章

気になる「なぜ？」から
掘り下げると、
世界史はもっとよくわかる

いまだに解けない人類誕生の〝ミッシング・リンク〟とは？

■人間の祖先を追って

歴史というのは時間の経過が進めば進むほど謎に満ちていくものである。だが、それを承知で人類が永遠に追い続ける謎がヒトの発祥、つまり「人類誕生」の歴史だ。

意外なことに人類の起源について真剣な研究が始まったのは、ここ１６０年ほどのことである。

１８５６年、人類の祖先とおぼしき化石がドイツのネアンデル峡谷で初めて発見された。この化石は発見された地名にちなんで「ネアンデルタール」と呼ばれた。

さらに１８９１年には、同じような化石がジャワで見つかっている。こちらはネアンデルタールよりも古く、よりサルに近かった。これがのちに「ピテカントロプス」（ジャワ原人）と呼ばれる「原人」である。

しかし、いずれも顔つきがあまりにも人間とかけ離れていたため、発見された当初は人間の祖先だという考え方は荒唐無稽と一蹴された。

ネアンデルタールが旧人、ピテカントロプスが原人と考えられたのは、ずっと後のことである。

旧人類は今からおよそ3万〜10万年前に存在し、分布はヨーロッパ全域に及ぶ。頭の大きさに比べて顔が大きく、顔面が前に突き出しているのが特徴だが、脳の大きさや身長は現代人とほぼ変わらなかったらしい。

一方、原人類は200万年前頃から存在していたと考えられている。頭部は前後は長いが上下は低かった。脳の大きさも旧人類より容積が少なく、下顎骨が頑丈だったことから、よりサルに近い形だったと考えていい。原人類は「ジャワ原人」のほか、中国北京市の周口店で1925年に発見された「北京原人」も有名である。

そして、原人よりも古い「猿人」の化石が発見されたのは、その前年の1924年のことだった。

■人類誕生の地はアフリカなのか

発見された場所は南アフリカのヨハネスブルクにあるタウングで、6~7歳の子どもの骨のようだったことから、その化石は「タウング・ベビー」という愛称で話題になった。限りなくサルに近い顔面ではあったが、歯並びなどはきわめてヒトの特徴に近く、発見者はこれを原人よりもさらに古い人類の祖先と考えた。

しかし、やはりここでもその主張は退けられた。ヒトではなくサルの進化形である類人猿とされ、名称も「アウストラロピテクス（ピテクス＝猿）」と名づけられたのである。

ところが、この発見から間もなくヨハネスブルクからほど近い洞窟で、今度はタウング・ベビーによく似た大人の化石が見つかった。

最終的にこれらが600万年前には存在した「猿人」と認められ、同時に人類の進化が「猿人」「原人」「旧人」そして「新人（クロマニヨン）」と移行したことが定義づけられたのは、第二次世界大戦の頃だったのである。

その後も1959年に東アフリカのタンザニアで「ジンジャントロプス」（猿人の一種）が発見されるなど、アフリカでは猿人遺跡が続々発見された。

新しいところでは、2003年4月にもヨハネスブルク近郊の洞窟で、約400万年前のものと思われる猿人の頭骨の化石が見つかっている。

こうした発掘事例から現在、人類誕生の地はアフリカ大陸であることが通説になっているというわけだ。

サルと人間の中間にあって、はっきりわからない部分は「ミッシングリンク」（鎖の失われた環）と呼ばれる。

まだほかに未知なる我々の祖先がいたのか。ならば、それはどこに眠っているのか。人類誕生の記憶への挑戦はまだまだ終わらないのである。

すべて東を向けて埋められた8000体の兵馬俑のナゾとは？

■巨大な陵墓に眠る兵馬

前221年、それまでの戦国乱世を制し、中国を初めて統一した人物がいる。秦王の政だ。

彼は自らを始皇帝と名乗り、強力な中央集権を推し進める。貨幣や度量衡、文字を統一し、焚書・坑儒を行って思想を統制した。また、万里の長城を修復して外敵の侵入にも備え、権力を絶大なものにしていく。

そして、その権力の象徴ともいえるものが1974年、井戸掘り中の農夫によって偶然発見される。始皇帝陵・兵馬俑坑《へいばようこう》が姿を現したのだ。

最初に発掘された1号坑は約230メートル×約60メートルの坑で、そこには武具を身につけた陶製の兵士が38列に隊列をなしていた。

その後の調査で現在までに4つの坑が確認されているが、馬や戦車の俑を合わせ、その数はなんと8000体にものぼるという。そして不思議なことに、これらの俑はみな東を向いて並べられているのである。

また、兵馬俑の兵士は一体一体の顔つきがすべて違う。実在した兵士をモデルに作られたらしく、実物大の兵士たちは今にも動き出しそうだ。

この陵墓は、墳墓とそれを囲う二重の外壁、そして外壁から約1キロメートル離れたところにある兵馬俑坑からなる巨大なスケールだ。『史記』によれば、驪山《りざん》陵と阿房宮《あぼうきゅう》の造営のために集められた人の数は70万人以上だという。

始皇帝は権力を誇示するためだけに建設したのだろうか。そして、俑が東を向いている意味は何だろうか。

■始皇帝が求めた不老不死の薬の謎

始皇帝は目的のためならどんなことでもする非情な人だったといわれている。政権の脅威になるものはことごとく排除し、始皇帝の名を圧政者の代名詞としていく。

しかし、地位を磐石なものにしていく傍ら、始皇帝を脅かすものがたったひとつだけあった。死である。

彼は中国統一後、5度の巡幸を行って各地を訪れている。これには民衆を押さえつける意図のほかに、不老不死の薬を探すという真の目的があったといわれているのだ。

これを裏づけるように、始皇帝はまだ訪れていない場所が数多く残されているにも関わらず、東海岸にばかり3度も足を運んでいる。

それは以前、始皇帝が徐福《じょふく》という男から「東の海に不老不死の薬を持った仙人が住む島がある」という話を聞いたからだといわれている。

始皇帝はその島を探すために巨費を投じて船を用意し、徐福を旅立たせた。この島とは日本ではないかという説もあるが、徐福が再び始皇帝の元に戻ることはなく真相はわからないままだ。

いずれにしても、その後も始皇帝は東海岸を訪れている。東の海に向かって不老不死を願う始皇帝のあきらめきれない思いが見て取れるようだ。

これらを考えると、墓所の兵馬は万が一死んでしまった時のために、死後の復活を願って始皇帝が東に向けたものと推察できる。

しかし、これには違う説もある。もともと秦は西に興った国で、中国を統一する際に東へ東へと国を制していった。そのため、統一後はさらに東方にある国に対して威圧をしているのではないかというのである。

だが、今となっては始皇帝の真意がどこにあったのかは謎である。始皇帝の死後、各地で反乱が起こり、秦は混乱のうちにあっけなく滅亡してしまう。強引な改革や重税が民衆の反発を招いたのだ。

そして、驪山陵や阿房宮も楚の武将・項羽によって無残にも破壊されてしまうのである。

始皇帝が兵馬俑に込めた思いはどのようなものだったのか。８０００体の兵馬たちは何も語らず整然と並んでいるだけである。

どうしてペルシア帝国は〝5つの都〟を必要としたのか？

■王位をめぐる争いと帝国の崩壊

エジプト文明やメソポタミア文明など、かつていくつもの古代文明が誕生した地、オリエント――。

ここにアケメネス朝ペルシアが建国されたのは前５５５年のことである。それから約30年後に即位したダレイオス１世の時、西はエーゲ海北岸から東はインダス川に及ぶ大帝国へと発展する。

現代のように情報伝達技術が確立されていなかった古代、当時の王たちはこれだけの広大な土地をどのように支配していたのだろうか。

ダレイオス１世はまず帝国を20の州に分け、各州に知事を置いた。そして、知事との連絡を円滑にするため道路網を整備したのである。

この道路は全長2500キロメートル以上にも及び、110以上の駅が設けられたといわれている。

また金・銀貨を発行して税制も整え、知事による過度の搾取から州を守り、知事の力が強くなりすぎないよう「王の目」「王の耳」と呼ばれる王直属の監察官を置いたのだ。

さらに言葉の面でも工夫が見られる。オリエントでは現在でもいくつもの異なる言語が使われているが、さまざまな民族がいた古代ではさらに細かく分かれていた。

そこでダレイオス1世のもとでは、記録する時にはそれぞれの言葉を翻字して粘土板に著していたという。ただし繁雑な作業であるため、次の世代からはアルファベットの元となったアラム語を使用するよう奨励したことがわかっている。

前500年にはエーゲ海を挟んだギリシアとの間でペルシア戦争が勃発、惨敗するものの存亡を脅かす外部からの要因はなかった。そんな大帝国も王位をめぐる代々の争いが帝国内部の崩壊を招く。そして前330年、アレクサンドロス大王に征服され約220年の歴史に幕をおろすのだ。

■ペルセポリスは、5番目の都だった!?

ペルシア帝国には5つの都が設けられていた。そのうち最大の都が、イラン南部のファールース州に廃墟を残す「ペルセポリス」である。

ペルセポリスはダレイオス1世によって着工、前460年頃に完成した都で、東西300メートル、南北455メートル、高さ12メートルの基壇の上に宮門や宮殿、議会の間をはじめ宝物庫やハーレムなどが建ち並んでいた。

それらはエジプト、ギリシア、メディナなどさまざまな建築様式が融合された、当時もっとも絢爛豪華な建築物であったという。しかし、ペルセポリスは最大の都でありながら中央政庁の役目を担っていた都スーサから約480キロメートルも離れ、かなり交通の便の悪いところに立地していた。しかも、わずか40数キロメートルのところにすでに4番目の都パサルガダエが置かれていたのである。

なぜこのような場所に、しかもほかに4つの都があったにもかかわらず、帝国の総力を結集して新たに都が建てられたのだろうか。

その謎を解く手がかりが、基壇の壁面に描かれた彫刻だ。

それは属州や同盟国の臣下たちが朝貢に訪れる様子を描いたもので、それぞれの手には金銀の工芸品やライオンの子どもといったみやげ物を携えている。

彫刻は新年の大祭を描いたものと推定され、このことからペルセポリスは儀式用の都として建てられたという説が有力だ。

また、この地を選んだ理由は季節的に過ごしやすい場所にあったため、絢爛豪華にしたのは帝国の力を誇示するためなど諸説あげられている。

しかし、2500年以上経った現在もその真相は厚いヴェールに包まれたままである。

そもそも「キリスト教」はどんなふうに誕生した？

■イエスの出生をめぐる謎

世界でもっとも信仰する者が多いといわれる宗教がキリスト教だ。唯一神教としてこれまで世界史に与えた影響も計り知れないが、その成立の過程には多くの謎が含まれている。

まず、イエス・キリストの誕生である。歴史ではイエス生誕を境にして「紀元前」と「紀元後」に分けたといわれているが、学問上の定説ではイエスがパレスチナ北部に生まれたのは紀元前４年とされているのだ。

また、聖母として祈りを捧げる母のマリアはイエスを処女のまま受胎したとされるが、しかし彼女にはヨゼフという大工の夫がおり、婚約中に彼を身ごもっている。

純潔を守りながら神によって子を宿した、というのが宗教上の解釈であるが、イエスの私生児説から婚前交渉説までさまざまな仮説がある。

また、イエスには兄弟や姉妹がいたことも『新約聖書』の中の『マルコ伝福音書』に書かれており、家族関係は複雑だったことも想像できそうだ。

ただ、イエス本人は非常に聡明で賢い子供だったようで、12歳の時にイェルサレムの神殿で教師たちと問答をし、彼らを驚嘆させたことも伝えられている。

イエスが生まれた当時は、ユダヤ教が中心だった。ユダヤ教もキリスト教と同じ唯一神を崇拝する宗教である。

若きイエスもユダヤ教の教えの下で育てられたが、そういう状況のなかで、なぜキリスト教が生まれたのだろうか。同じ神を崇めるのなら、新しい宗派として成立することも十分考えられたはずだ。実は、キリスト教は彼の死後に成立しているのである。

イエスが生前、人々に説いたことは「愛」や「悔い改め」など新しい教えだった。それは誰もが神の前では平等で、自分を愛するように他人を愛しなさい、古い律法は人を救わない、信ずる人の心の中に神の国はあるという内容で、この教えがローマの圧政に苦しみ、また政治と結びついたユダヤ教に反感を持つ人々の心を捉えるのだ。

人々はイエスこそが神から使わされたメシア（＝キリスト・救世主）だと信じるようになり、彼の教えに従う者が急増し始める。

だが、これに慌てたのは為政者だった。彼らはイエスの影響力があまりにも大きく、それが民衆に広がり出すのを恐れ反逆者として捕らえると処刑してしまう。

しかし、イエスを生前から信仰している者たちはイエスが復活することを信じ、彼の教えをキリスト教として成立させ、宗教としての信仰を始めたのである。

■『死海文書』って何？

20世紀最大の考古学上の発見といわれる、『死海文書』と総称される古文書がある。

１９４７年以降、死海北西部の岩山の洞穴群などで次々と発見されたものがそれで、最古の聖書の写本が含まれていたのだ。

さまざまな分析から、この『死海文書』はイエスが生まれるよりも前の時代のものも含まれている。

『新約聖書』はイエスの死後、少しずつ伝承が書きためられてできたものである。『死海文書』は、イエス誕生前の状況を明かす手がかりのひとつなのだ。

それでも、キリスト教誕生には諸説が入り乱れており、はっきりしたことは未だにわかっていないのが現状である。

「ルネサンス」の時代、革命的な発明が相次いだのは？

■世界を変えた「発明」の謎

ルネサンスの3大発明といえば、火薬と羅針盤と活版技術である。3つともその起源を中国に求めることができるが、このうち火薬と羅針盤がどのような経緯でヨーロッパに伝わったのかは定かではない。

火薬とはいわゆる黒色火薬のことで、硫黄、木炭、硝石を混合することで作られる。現在までの研究では、10世紀頃に中国で発明されたと考えられている。

羅針盤も10世紀頃に中国で発明され、シルクロードによってヨーロッパにもたらされたようだが、詳細は不明だ。

しかし、火薬はその後の戦争のあり方を革命的に変え、また羅針盤は大航海時代のシンボルとしてヨーロッパの海外への進出を可能にしたのである。

ところで、中国から伝わった活版印刷は宗教改革の時に聖書の印刷に力を発揮したが、ルネサンスまで普及をしてない。

実は当時、文書を記すものとして使われていたのは羊の皮で、それは紙が大量になかったからだ。しかも羊の皮は高価なため、紙のように大量に印刷することができなかった。

紙が大量に作られるようになるのは13世紀の末頃のイタリアで、その頃からようやく活版印刷が軌道に乗り始めるのである。

■ローマ教会と地動説

地球が太陽の周りを回っているという説はルネサンスの時代、コペルニクスが「地動説」という形で初めて明らかにした。

しかし、彼はなぜかこの学説を公の場で発表することを拒んでいる。発表されたのは彼の死後、弟子たちによってである

地動説は彼が聖職を勤めながら30年間にわたり天体の動きを研究し、そしてようやくたどり着いた結果だった。にもかかわらず公表をためらったのは、当時の天文学の定説が地球を中心に天体が回る「天動説」で、それも社会の中心にあったローマ教会が公認した学説だったからだ。

天文観測が発達した現代なら地動説の正しさを誰にでもわかりやすく実証してみせることができるが、コペルニクスが発見したのは数理上、つまり机上の計算の結果でしかなかったのである。

ただし、当然のことながら天動説も同様で、どちらが本当に正しいかは専門家でも判断することができなかったのである。教会は学説の是非を追求するより、聖書の真理に合致している天動説を当然ながら守ろうとしたのだ。

だが、望遠鏡が発明されるとイタリアの学者ガリレオ・ガリレイが再び地動説の正しさを主張するようになる。

教会は彼を裁判にかけて学説を放棄させ、その後ガリレオを幽閉してしまうが、当時は全てにおいて聖書が第一に考えられていたのだ。

■なぜ、富がイタリアに集中したのか

ルネサンスとは古典文化の復興を意味する。ミケランジェロやレオナルド・ダ・ヴィンチなど数多くの芸術家を排出した時代であるが、彼らには共通していることがある。それは誰もがイタリアで活躍しているということだ。

その理由はイタリアが十字軍遠征の拠点であり、また東方貿易の拠点でもあったからだった。

つまり、当時生まれた富の大半がイタリアに集中し、芸術家を育てる大富豪のパトロンが多く存在していたのである。

そして国家も中央集権ではなく都市共和国などに分かれ、経済活動も活発だったため自然と自由で活気ある環境がつくられていたのだ。

たくさんの人を死に追いやった「魔女狩り」のコワい話とは？

■『魔女の鉄槌』とは？

ルネサンスが華々しく展開されていた同じ時期、ヨーロッパ各地では魔女狩りがはびこっていた。魔女狩りとは魔女の疑いを持つ者を裁判にかけ、魔女と確定したら処刑するというもので、犠牲者は２００万人とも４００万人ともいわれている。

魔女狩りは当初、閉鎖的な農村や小都市で起こり、農民や売春婦、産婆や羊飼い、非白人やキリスト異教徒、また精神的・肉体的に障害を持つ人など社会的に弱い立場に置かれた人々がその標的にされたという。

それがしだいにエスカレートし、気に入らなければ誰もが魔女にされた。魔女の汚名をきせられた人の約８割が女性で、うち半分が未亡人だったというが、ではなぜ女性の未亡人が魔女にされてしまったのか。

まず、魔女が女性であるという概念を生みつけたのが1400年代後半に出版された『魔女の鉄槌』という本である。これは魔女狩りのバイブルともいわれ、魔女の術から魔女裁判の方法にいたるまでが詳しく説明されていた。そこに登場する魔女が女性として書かれていたのだ。

折しも活版印刷が発明された時で、本は瞬く間にヨーロッパ中で読まれるようになり、同時に魔女＝女性という概念も広がっていったのである。

また当時、1人暮らしの女性は家庭の平和を乱すものと捉えられていたため、未亡人が格好の対象になったと推定されている。

ところで、魔女と確定されれば「火刑」に処せられるが、この火刑にもわけがある。キリスト教では男性は太陽を女性は大地を表し、火は光と同じく太陽に属することから火でもって抹殺しなければならなかったのだ。

中世ヨーロッパで支配的だったこのような考え方が処刑方法にも影響を与えていたのである。

■「火刑」でなければならなかった⁉

中世ヨーロッパでは魔女狩り同様、キリスト教世界において異端とされる者も裁判にかけられ処刑された。これを異端裁判（宗教裁判）と呼ぶが、裁判にかけられた1人にガリレオ・ガリレイがいる。偉大な天文学者であるガリレオは、どんな罪で裁判にかけられたのか。

ガリレオは以前からコペルニクスの説いた「地動説」の正しさを知っていたが、望遠鏡を発明したことでその説の正しさを確信し、書を著す。対してあくまでも「天動説」を唱える教皇庁は1616年、正式に地動説の否定を発表、コペルニクスの本を発禁処分にしガリレオにも研究を自重するよう通達する。ところがガリレオはその16年後、地動説の正しさを世に知らしめようと『天文対話』という書物を出版するのだ。

これに怒った教皇庁はガリレオを裁判にかけ、地動説は誤りだと断言することと『天文対話』の出版中止を要求する。応じなければもちろん死刑だ。69歳と高齢だったガリレオはやむなくこの判決に従い、地動説を放棄したのであった。

ところで、ガリレオのほかに地動説を唱えたブルーノも裁判にかけられ処刑されているが、コペルニクスはかけられていない。

それはブルーノが哲学的な立場から地動説を唱えたのに対し、コペルニクスは数学的な立場から唱えたからだという。

また、異端裁判での処刑方法は魔女狩りと同じように火刑である。

ある研究者によれば、天動説は大地が動かず天が回る、すなわち太陽が地球を支配しているということで、そのため太陽に属する火でもって処刑したのだという。ほかにも、キリスト教の光で焼き尽くすという意味が込められているともいわれている。

このように、中世は多くの逸材が宗教によって弾圧されてしまった時代でもあったのだ。

ジャンヌ・ダルクが、突然、歴史の表舞台に登場できたのは？

■「声」に導かれた少女

ジャンヌ・ダルクは１４１２年、シャンパーニュ地方の東にあるドンレミ村で農民の子として生まれる。それまでは家事や針仕事をして暮らす普通の少女だったが、17歳の時に突如、フランスを救うために立ち上がる。

そして、王太子シャルルから装備と軍隊を与えられると「オルレアンの戦い」でイギリス軍を破り、戴冠式を行って王太子を王に即位させるのだ。

しかし、パリ奪還に失敗してイギリス軍に捕らえられ、宗教裁判にかけられたのち火あぶりの刑に処せられてしまう。弱冠19歳の時であった。

彼女はなぜ祖国を救おうとしたのか、なぜ、シャルルは農民出身の会ったこともない彼女を信じて軍を与えたのか。その謎を解くキーワードが、「声」だ。

彼女がはじめてその「声」を聞いたのは、13歳の時だったという。真夏の正午頃、教会の方が明るくなったかと思うと、「行いを正すよう、汝を助けよう」という言葉が聞こえたというのである。

「声」はその後もジャンヌに語りかけ、ある日「フランスの王を助けに行け」と告げる。

さらに、ジャンヌがオルレアンの包囲を解除すること、ヴォークールールの町の城に赴き守備隊長に会うこと、そして彼が自分と同行してくれる従者を与えてくれることなどを告げたというのだ。

この声を聞いたジャンヌはいてもたってもいられず、フランスの王（当時王太子）のもとへと向かう。そして実際、すべてこのお告げのとおりになるわけである。

一方、人間不信だったシャルルが田舎者の彼女をなぜ信用したかは依然、謎である。ジャンヌは、天使が現れてシャルルに王冠を手渡したため信用を得たと裁判で語っているが、実際は天使などは現れず、王に戴冠することを誓っただけという。

ただひとつ明確なのは、彼女が信仰心の厚い少女だったということだ。

■異端裁判の末に

1431年5月30日、ジャンヌは火あぶりの刑に処せられる。頭には「異端者、再発異端者、背教者、偶像崇拝者」と書かれた帽子をかぶせられ、火刑台には「うそつき、偽預言者、うぬぼれや、危険なる人物」などと書かれていたという。

ジャンヌがイギリス人の手に捕らえられた時、イギリスはフランスに身代金を要求しているが、シャルル7世はこの要求を無視する。ジャンヌがいたからこそ彼は王に即位することができたはずだ。それなのになぜ彼女を助けようとしなかったのか。

一説によれば、王の即位に彼女が手を貸した、彼女の力が働いたということ自体が気に入らなかったという。自分以外に栄光と名声を得ることは許さない性格だったというのだ。

また、パリ奪還の失敗によって信用を失ったからという説もある。

結局、ジャンヌはその後、5カ月にもわたって裁判にかけられることになった。

ところがその裁判は、戦争とは関係のない宗教裁判（異端裁判）だったのである。司教や検察官たちは、男装し戦場に赴くという女性らしからぬ行動をとったジャンヌをキリスト教信仰に外れる異端とみて、ペテン師か魔女のどちらかにまつりあげようとしたのである。あやうく難を逃れた彼女は、一度着た女性服を脱ぎ捨て再び男装する。それが再発異端者とされ、火刑に処せられてしまったのだ。

〝太陽王〟ルイ14世のヴェルサイユでの暮らしぶりは？

■ルイ14世のもうひとつの顔

16世紀後半のヨーロッパは宗教戦争の時代だった。フランスでも「ユグノー戦争」が起こり、国内は大混乱に陥いる。これをおさめたのがブルボン家で、ユグノー戦争の最中に絶えたヴァロア家の後を継いで王位につく。ここから絶対王政の時代が始まり、ルイ14世の時に最盛期を迎えるのだ。

ルイ14世は没するまでの約72年間、現役の王だった。「朕（我）は国家なり」という言葉を残しているように、国務に関するすべての決定を自ら行い、また無類の戦争好きで、経済的混乱と財政逼迫を招いたりもした。

莫大な金を投資して、きらびやかなヴェルサイユ宮殿を建てたことでも有名だ。しかし、そんな行動とは裏腹に、彼の素顔は意外なものだったのである。

幼い頃から王者たる風格を兼ね備えていたといわれるルイ14世は、花を愛し、バレエの名人でヴァイオリンやギターを巧みに奏でた一方、狩猟も得意だったという。

また、王は絶対的存在であるとともに人民のものでもあるとの考えから、ヴェルサイユ宮殿を一般の人たちにも開放し、日曜日の晩餐や妃の出産も公開している。

当時これだけ長生きをし、これだけ長く現役でいられた王はほかにはいない。それもこれも体が丈夫だったからで、そのためヴェルサイユ宮殿は居住性は配慮されず、美観だけが重視されて設計されているのだ。

では、その健康の秘訣はいったい何だったのか――。

それは規則正しい生活にあったようだ。起床から就寝までほぼ毎日同じスケジュールで行動し、「何百キロメートル離れた場所にいても王が今どこで何をしているかわかる」と家臣が書き記していたくらいである。

たしかに国民は苦しめられたが、彼は人間味にあふれた人物であったこともまた事実のようだ。

■ヴェルサイユに宮殿が建てられた奇妙な背景

ヴェルサイユ宮殿の歴史は１６４２年、ルイ13世がこの地に狩猟小屋を建てたことに始まる。

それから20年経った１６６２年、息子であるルイ14世が宮殿の建築を開始し、建築途中にもかかわらず１６８２年にパリからここに移り住み、そして建築開始から約50年後に宮殿は完成するのだ。

ヴェルサイユ宮殿は宮殿、庭園、離宮から成り、壁や柱、天井や床などすべてが大理石と金銀で装飾されている。

なかでも圧巻なのが、約６００枚の鏡が壁面にはめ込まれた鏡の回廊だ。ほかにも王の大広間、金色に輝く寝室を持つ妃の居室、２階建ての礼拝堂のほか、オペラの間やバラ色の大理石で造られた離宮グラン・トリアノンなどがある。

また庭園には大小の運河、数々の池や噴水、彫刻、果樹園までが設けられているといった具合だ。

ところで、ルイ14世はパリをはじめ各地に宮殿があったにもかかわらず、なぜこれほどまでの宮殿を新たに建てようと思ったのだろうか。

一説によれば、財務総監であったフーケの城があまりにも立派だったために立腹し、フーケの城より豪華な城を建てることを自ら誓ったからだという。

もうひとつの有力な説が〝パリ嫌い〟説である。ルイ14世がまだ10歳にも満たない頃、強権政治に反対した貴族などが「フロンドの乱」を起こし、何度かパリを脱出して転々と住み家を変えなければならなかった。そうした忌まわしい記憶が頭にこびりつき、パリに嫌気がさしていたというのだ。

いずれにしろ、ルイ14世は移り住んでから死ぬまでここを動かなかった。それはよほど、この地とこの宮殿が気に入っていたからにほかならないだろう。

リンカーン暗殺事件でいまも囁かれる“黒幕”の正体は？

■思いがけない結末

エイブラハム・リンカーンは１８０９年、ケンタッキー州に生まれた。37歳で下院議員に初当選、１８６１年に共和党から第16代アメリカ大統領として就任した。

リンカーンの最大の功績といえば、大統領就任とほぼ同時に開戦した南北戦争において奴隷解放宣言を行ったことである。１８６３年に行ったゲティスバーグの演説で発せられた「人民の人民による人民のための政治は地上からけっして滅びない」という言葉は、歴史上の名文句として今も語り継がれている。

だが、この南北戦争の英雄は１８６５年４月14日、突然この世を去った。南軍派の俳優ジョン・ブースによって殺害されたのである。

事件は逃走犯が射殺されたことで一件落着した。だが一見、青年俳優の衝動的な殺害に見えるこの事件には、それだけでは説明がつかない謎が秘められているのだ。

■黒幕として囁かれる名前

その日、リンカーンはフォード劇場で舞台を観賞していた。その最中、大統領一行が座るボックス席にブースが突如現れ、リンカーンの頭部をピストルで一撃した。ブースはすぐさま馬で逃走したが、瀕死のリンカーンは近くの小さなホテルに運ばれそのまま息を引き取ったのである。

ブースは奴隷解放に猛反対する熱狂的な南軍支持派だった。この暗殺事件のほんの5日前に南軍が降伏したことで、リンカーンへの憎しみは頂点に達したのだろう。

逃走から12日後、北部陸軍に追い詰められたブースは射殺され、逃走を手助けした人物など、暗殺に関わった合計9名が軍事裁判にかけられ、うち4名が処刑された。

しかし、この暗殺劇には黒幕説が根強く囁かれている。なかでも最有力なのが暗殺事件を取り仕切った陸軍長官エドウィン・スタントンだ。陸軍長官といえばリンカーンの配下にいた人物で、いわば身内である。

調査によれば、ブースは反リンカーン派の北部投資家グループや共和党急進派とつながっていた。そして、スタントンもやはりこうした一味とつながっていたのだという。

しかも、スタントンは犯人を追跡中にブースの手配写真をほかの人物と間違えて配布する「捜査ミス」を犯している。故意だと疑われてもしかたのないようなイージーミスである。

さらに、ブースは最終的にスタントンの部下である軍曹に射殺されたのだが、その状況とブースの傷跡には辻褄が合わない点があるというのだ。

はたしてリンカーン暗殺事件は身内の犯罪だったのか。そして実行犯ブースは口封じに殺されたのか。その黒幕とはいったい誰なのか、真相は藪の中である。

■事件の奇妙な偶然の謎

ところでこの事件には、リンカーンとブースにまつわる奇妙なエピソードが残されている。

ブースに撃たれたリンカーンは劇場近くのホテルに運ばれそこで息絶えたが、実はその部屋はブースが暗殺を実行する数日前に宿泊していた可能性があるというのだ。もしこれが本当なら、被害者と加害者はほんのわずかの間に同じ部屋のベッドに横たわったことになる。

この皮肉なエピソードの真相は定かではないが、いずれにせよアメリカ初の大統領暗殺事件は全土に衝撃を与えた。奴隷を解放してまで連邦の存続を目指したリンカーンのもとには、大統領在籍当時から暗殺予告の手紙が頻繁に舞い込んでいたといわれている。

それを踏まえれば、リンカーンは犯人の実体はともかく、自分が誰かに狙われているという身の危険だけは常に感じていたのかもしれない。

どうして清は、国内へのアヘン流入を防げなかったのか？

■イギリスの本当の思惑

世界各国がビジネスチャンスを狙う巨大なマーケットが中国だ。それは18世紀でも同じで、特に中国進出を虎視眈々と狙う国がイギリスだった。

18世紀後半の中国貿易はイギリスが独占していたが、開港されていた中国の港は広州1港のみで、さらに公行が交易を牛耳る制限貿易が行われていた。

「地大物博」の中国では、海外との交易はさして重要ではなく、お情け程度に門戸を開いていたといっていい。イギリスはこれが気に食わなかったのだ。

世界に先駆けて産業革命を行ったイギリスは、インドに続く植民地とマーケットを求めていたのである。広く豊かな大地を持ち、当時人口が3億人を超えていた中国はどこよりもおいしい市場だったに違いない。

だが、度重なる交渉にも関わらず、中国は制限貿易を撤廃しなかった。しかも、あろうことか中国からの茶や陶磁器の輸入が増大し、イギリスから中国へ一方的に銀が流出するようになっていたのである。

そこで、イギリスの商人たちはある謀略を練る。それは何だったのか。

■清朝がはまった罠

イギリス商人たちが企んだこととはアヘンを持ち込むことだった。

アヘン持ち込みの図式はこうである。イギリスがインドに綿製品を売り、そのインドが今度は中国にアヘンを売り、中国がイギリスに銀や茶を売るという「三角貿易」だ。

イギリス商人たちのこの思惑はみごとに的中し、アヘン吸引の習慣は中国に瞬く間に広がっていったのである。清朝は慌てて取り締まったが、時すでに遅く、アヘンは中国人の体と心を蝕み、経済を混乱させて大きな社会問題となっていた。

しかし、なぜここまで急速にアヘンが流通してしまったのだろうか。

実は、こうなる以前から清朝自らが退廃の温床になるような土壌をつくり出していたのである。

18世紀末の中国では「白蓮教徒の乱」が起こり、清朝はこの鎮圧に10年近くかかって弱体ぶりを内外に知らしめてしまった。

さらに清朝内部では官僚の収賄が横行し、腐敗が進んでいた。アヘンが密輸された時も、もっとも早くアヘンに手を出したのはこの官僚たちだったといわれている。

あまりにも急激なアヘンの浸透はそれだけでは説明がつかない部分もあるが、清朝内部の腐敗がイギリスに悪用され、清朝が己の首を締める一因になってしまったことだけは事実だろう。

■アヘン窟誕生の背景と清朝の滅亡

いっこうに止まらないアヘンの流入に対して、とうとう清朝は本腰を入れて動き出した。１８３９年、林則徐を広州に派遣してアヘンの徹底的な取り締まりをさせたのだ。

だが、イギリスはチャンス到来とばかりに武力でこれに対抗し、１９４０年、「アヘン戦争」が勃発する。

イギリス軍の圧倒的な武力の前に清は完敗し、「南京条約」が結ばれた。

そして驚くことに戦前に増してアヘンが流入するようになり、あのいかがわしい「アヘン窟」が租界各地に公然とつくられていったのである。

アヘンがもとで始まった戦争にも関わらず、南京条約はアヘンについて何も言及していなかったのだ。なんとも不思議な話である。

これを皮切りに欧米列強による清朝の半植民地化が進み、清朝は一路滅亡の道を歩むことになる。

ちなみに、イギリス本国でもアヘンの流通量は増大していき、ロンドンのスラム街にはアヘン窟が軒を連ねていたという。『シャーロック・ホームズの冒険』の中でもアヘン窟が登場するくらいなのである。

インドのタージ・マハルには、誰が眠っている？

■ムガル帝国の最盛期

インドでは13世紀初頭にインド最初のイスラム王朝である奴隷王朝が成立し、その後デリーを首都とした5つのイスラム王朝が続いた。この最後のロディー朝を破ったのがムガル帝国の開祖バーブルだ。

バーブルは父方にティムール、母方にチンギス・ハンの血を継いでおり、国名のムガルとはモンゴルが訛ったものである。ムガル帝国は3代アクバル帝の時にインドの大部分を統一し、首都をアグラに遷都した。

そして、5代のシャー・ジャハン帝の時にムガル帝国の最盛期を迎える。あの壮麗なタージ・マハルも彼の治世に建てられたものだ。

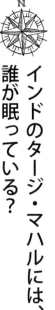

タージ・マハルはその外観から宮殿と捉えられがちだが、実は宮殿ではない。シャー・ジャハン帝は若い頃、骨肉の争いに巻き込まれ、宮廷を追われて数年間の逃亡生活を余儀なくされた時期がある。

その辛い時代、彼にずっと寄り添って慰めてくれた美しい妻がいた。のちにムムターズ・マハルという称号を贈られる愛妃である。タージ・マハルとはムムターズ・マハルが縮まったもので、彼女の墓なのだ。

ムムターズ・マハルはシャー・ジャハンが苦節の末、即位した数年後に亡くなる。タージ・マハルは、そんな彼女を想ったシャー・ジャハンが20年以上を費やして完成させたのである。

また、シャー・ジャハンはタージ・マハルの向かいに黒い大理石を使って自分の廟墓を造り、死後も夫婦向かい合って過ごそうと考えていたが、その計画は息子の6代アウラングゼーブ帝に阻まれてしまう。

その結果、シャー・ジャハンの墓は彼の死後、父を不憫に思った娘たちによりタージ・マハル内にある愛妃の墓標の横につけ足すように造られ、2人は死後も寄り添う形になったのである。

■帝国が滅亡した本当の理由

アウラングゼーブ帝の時代にムガル帝国は最大の領土を築くが、外征を繰り返したためヒンドゥー教徒の反乱を招いて財政を逼迫し、衰退の道をたどっていく。

なかでもマラータ族は同盟を結成し、アウラングゼーブが死ぬとデカン高原を奪って領土を拡大する。さらにこの頃、帝国主義の欧米列強がインドに進出していたのである。

イギリスは東インド会社を通じてインド各地に拠点をつくり、「プラッシーの戦い」でフランスを破ると、続いてムガル皇帝や地方政権を破って植民地化に乗り出していく。

やがて東インド会社はインド全域を占領し、イギリスに対するインド人の不満は高まっていくのである。

そうしたなか、1857年に「セポイの乱」が起こる。乱のきっかけは牛と豚の脂である。乱の起こる前、イギリスは新型の銃を導入したが、この銃に弾丸を装塡するには、弾丸の包み紙を口で噛み切らなければならなかった。そこで、この紙に牛と豚の脂が染み込んでいると噂になったのだ。

ヒンドゥー教徒にとって牛は聖なる動物であり、またイスラム教徒にとって豚は不浄の動物でともに口にしてはならない。真相は定かでないが、それまでの募る不満が爆発し反乱となって瞬く間にインド全土に広がったのである。

そしてデリーを占領した反乱軍は、有名無実化していたムガル皇帝を擁立して戦ったのだ。だが、この反乱は東インド会社によって翌年には鎮圧され、ムガル皇帝は捕らえられてムガル帝国は名実ともに滅亡した。イギリス政府は東インド会社を解散して直接支配に乗り出し、１８７７年、イギリスのヴィクトリア女王が統治するインド帝国が成立する。

このイギリスによる支配は以後、１００年近く続くことになるのである。

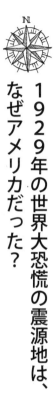

１９２９年の世界大恐慌の震源地は、なぜアメリカだった？

■世界中を震撼させた暗黒の木曜日

１９２９年10月24日木曜日。この日、ニューヨークのウォール街では前代未聞の事件が起こった。株式史上最悪の株価の大暴落である。

いわゆる「世界恐慌」とは、ここから各国に波及した世界規模での経済恐慌を意味する。

では、いったいなぜこんなことが起きてしまったのだろうか。

1920年代は、第一次世界大戦と第二次世界大戦の間にあることから「戦間期」と呼ばれている。アメリカにとってこの10年は史上もっとも華やかかりし時代だった。自動車、家電製品、石油などの産業が急成長し大きく発展、国民は消費社会の中でジャズや映画などの大衆文化を謳歌する好景気に沸いていた。

しかし、その一方でヨーロッパ諸国による第一次世界大戦からの経済復興や、日本の輸出力強化など他国の経済力も脅威に感じていた。それを意識したアメリカは、結果的に過剰生産を招いてしまったのである。

「作れば売れる」はずのモノは、しだいに需要と供給のバランスが崩れ始めた。これは工業に限らず農業も同じで、国内の農作物の価格は低落し「農業恐慌」をも引き起こしたのである。

これに伴い株価や地価も下落し始めたため、それまで投機熱に煽られていた資産家たちもいっせいに株や土地を手放した。それが10月24日の「暗黒の木曜日」のそもそもの要因である。

しかし、これだけならアメリカ国内での恐慌ですむ話だった。それが世界中に飛び火した理由は「資本としてのアメリカ」の存在である。

害を被ったのは、アメリカ資本に頼って経済の建て直しをはかっていた資本主義国家である。特にドイツやオーストリアといった第一次世界大戦の敗戦国では大手銀行が倒産するという金融危機を招く羽目になった。

ほかの国々もアメリカの不況を知るや、自国製品を保守するため貿易量をセーブするなどの対策をとった。国際市場は完全に凍結してしまったのである。

■世界のブロック化とファシズム

時のアメリカ大統領フーヴァーは、「フーヴァー・モラトリアム」など国内外の経済危機の対策を施したが失敗に終わった。

そこで1933年、フーヴァーに代わり大統領に就任したルーズベルトが「ニューディール政策」を実施する。ニューディールとは「全面的なやり直し」という意味である。

この政策ではフーヴァーの時代まで尊重され続けた自由放任主義を修正し、政府が経済復興に本格的に介入するものだった。

労働時間や賃金の調整をはかり過剰生産を抑制するための「全国産業復興法」、農地面積を制限し農産物の価格安定を目的とする「農業調整法（AAA）」などが制定されたほか、テネシー川流域開発公社を設立して失業者対策を執り行うなど、政策は一定の成果をあげた。

さらに、イギリスが金本位制を廃止し自国の金を守るため「スターリング（ポンド）＝ブロック」に移行すると、アメリカもこれにならい「ドル＝ブロック」を構築、世界は「ブロック経済」の時代へと突入した。

しかし、実はこのことがファシズムなる政治形態を生み、ひいては第二次世界大戦を引き起こす要因へとつながってしまった。

アメリカ、イギリス、フランスは植民地や独自の経済圏を持つ、いわば「持てる国」だった。それに対してドイツ、イタリア、日本の「持たざる国」は、独裁政権と軍事力によって植民地を獲得し、自国の強化を図ろうとしたのである。

こうして世界恐慌という経済事件は、20世紀のもっとも悲劇的な戦争へと発展していったのである。

「ルーズベルトは真珠湾攻撃を察知していた」って本当？

■日本軍の奇襲攻撃の真相

20世紀最大の悲劇となった第二次世界大戦。民族問題や領土問題など複数の要素がからみあうなか、戦いの構図はナチスのヒトラー総統率いるファシズムの「枢軸国」対、反ファシズムを掲げた「連合国」だった。

アメリカはしばらく中立の立場を貫いていたが、開戦2年後の1941年、ルーズベルト大統領がイギリスのチャーチル首相と交わした大西洋憲章をきっかけに、アメリカは反ファシズムの姿勢を打ち出した。

一方、ドイツ側として参戦していた日本は、中国および仏領インドシナ半島を侵攻した。これによりアメリカを含む4ヵ国による日本に対する経済制裁が行われ、同時に石油禁輸措置が発動されることになる。

それを受けて日本は対米戦を決定し、同年12月7日未明、アメリカ海軍の基地があるハワイ・オアフ島沖の真珠湾へ奇襲攻撃を仕掛けたのである。

この頃、太平洋で破竹の勢いを誇っていた日本は、爆撃機183機で真珠湾を襲っている。「アリゾナ」など5隻の戦艦を破壊、米軍の死者は2300人にものぼったという。

これが第二次世界大戦の極東戦線ともいうべき太平洋戦争の幕開けだった。しかし世界の大国へとのし上がりつつあったアメリカが、なぜ日本の攻撃をやすやすと許してしまったのだろうか。

■最後通牒をめぐる謎

数字が物語るように真珠湾攻撃は日本が大勝利をおさめたが、この奇襲はアメリカ側からすれば「だまし討ち」だと語られた。なぜなら日本からの最後通牒、つまり宣戦布告がなされなかったからである。

国際戦争において、宣戦布告を行わずして攻撃を仕掛けるという行為は明らかなルール違反であった。ではなぜ、日本はそんな卑劣な攻撃をしたのか。実のところは、宣戦布告が行わなれなかったのではなく「遅れた」というのが真相である。

当初、最後通牒は日本軍からアメリカの日本大使館に暗号で送られ、奇襲の30分前に野村吉三郎大使からアメリカのハル国務長官に届けられる予定だった。

だが、大使館は前夜に行われた同僚の送別会を優先したため、文書の作成が遅れるという大失態を演じてしまったのだ。結果的に文書は予定時間に届かず、攻撃が先に始まってしまったというわけである。

ルーズベルト大統領はこの翌日、演説を行った。「汚辱の日」「リメンバー・パールハーバー」――。この言葉を胸に戦えと、アメリカ国民に向けて熱く語ったのである。

しかし、この史実にはもうひとつ裏があったと考えられている。そこには日本の一枚上を行く、世界の大国としての謀略が隠されていたかもしれないのだ。

■どこまで事前に察知されていたか

その裏の史実とは、実はルーズベルト大統領は真珠湾攻撃を事前に知っていた可能性が高いということだ。

アメリカは日本軍の外交電信を傍受していた。おそらく日本の暗号電報の解読は容易だったろう。ならばなぜ、ルーズベルト大統領は甚大な被害をもたらすであろう奇襲作戦に手を打たなかったのか。

根強くささやかれているのは太平洋戦争、ひいては第二次世界大戦への参戦の正当性を打ち出すためという説である。わざと日本に先に仕掛けさせれば、アメリカはその報復として堂々と戦争行為を行えるというわけだ。

ちなみに、アメリカの石油禁輸措置が発動されても、日本の指導者の中には対米戦に反対する者も少なくなかったといわれている。事実、１９４１年4月からはハル国務長官との間で「日米交渉」が進められ、戦争回避の道が模索されている。

しかし交渉は難航し、同年11月にはハル国務長官が日本側に対して「合衆国及び日本国間の基礎概略」（通称ハル・ノート）を提出。これがアメリカの日本に対する事実上の最後通牒だった。

ここには、インドシナからの撤退などを条件にした和平案が書かれていた。だが、日本はこれをどうしても受け入れることができず交渉は決裂、そして真珠湾攻撃へとつながっていったのである。

一説によれば、ハル・ノートが提出された11月の段階ですでにルーズベルトは日本が戦争体制に入っているという情報を傍受していたという。

ただ、どこを攻撃してくるか場所までは特定できなかったのか、ハワイやグアム、フィリピンなどの軍司令官に警告のみを発し、その際に「戦争が避けられないのなら、日本から先に好戦的行為に出ることが望ましい」と発言したともいわれている。

日本はやはりアメリカの思うツボにはまったのだろうか。いずれにせよ、大国を敵に回すにはあまりにも国力に差があり過ぎた。もちろん、どこまでが真実でどこからが嘘なのか、今となっては完全な究明は難しい。

2章

これなら世界史の「流れ」と「ポイント」がどんどん頭に入る

文明のはじまり

「四大文明」はすべて川のほとりで始まった

日本の西側に広がるアジア大陸から北アフリカに至るアフロ・ユーラシア。「世界四大文明」と呼ばれている古代文明は、ちょうど北緯30度前後のこの地域に点在している。

この地球上に都市国家が形成されたのは、約６０００年前の紀元前４０００年頃で、人類最古の「メソポタミア文明」である。ペルシャ湾に近いチグリス川とユーフラテス川のにウルク、ウル、ラガシュなどのシュメール人国家が成立した。

それから約１０００年を経た前３０００年頃に、アフリカ大陸の東を流れるナイル川流域で「エジプト文明」が興り、前２５００年頃にはインダス川流域に「インダス文明」が、そして前３０００～２０００年頃には中国の黄河流域に「黄河文明」が成立した。

これら古代文明は、かつてはそれ以降に続く文明の源流だといわれてきた。だが、今では他の地域でもほぼ同じ時期に文明が興っていることがわかっている。

◆世界の古代文明

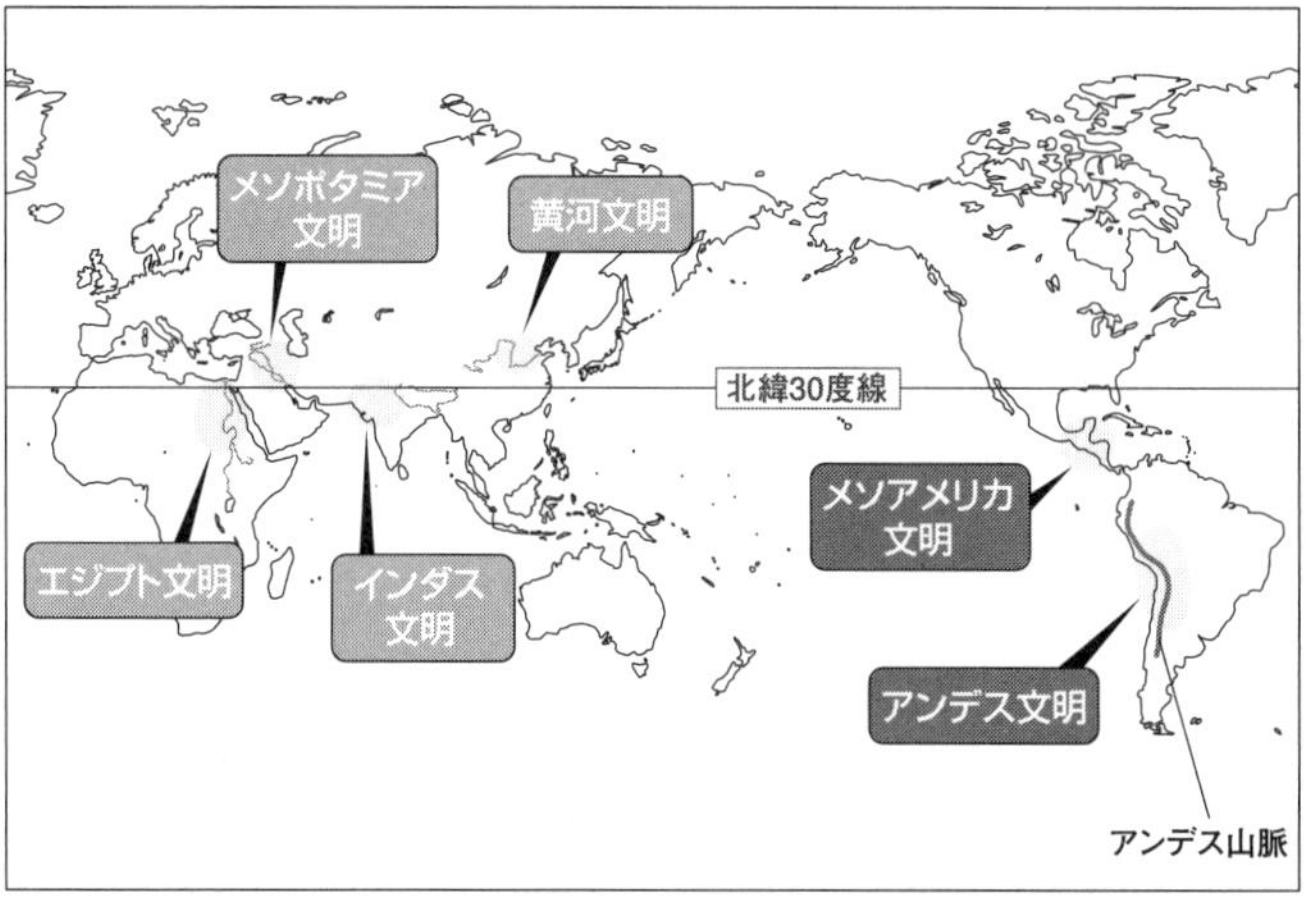

たとえばアメリカ大陸には、現在のメキシコや中米にあたる地域に「メソアメリカ文明」が、南米大陸を縦断するアンデス山脈周辺には「アンデス文明」が栄えていた。

この2つの文明が誕生したのは前2000年頃で、黄河文明とほぼ同時期である。そして、四大文明に登場する鉄器や車を使わず、人力と土掘り棒で農耕都市文明を築いていたところに、これら中南米大陸に興った文明の共通点がある。

一方、アフロ・ユーラシアに開花した文明に共通していたのは、大河の存在だ。文明は人類が思考をすることによって生まれるというが、古代人たちは恵みをもたらす大河の氾濫をサイクルとしてとらえて暦を考案したり、水路で水量をコントロールする技術を取り入れるなどして、時に猛威を振るう大河に挑みながら高度な文明を築いてきたのだ。

さらに文明が進むと、階級社会や王権政治が成立し、建築や土木の技術が磨かれ、文学や美術が発展する。

だが、こうした発展の裏では、権力者による争いが絶えなかった。メソポタミアの地はアッカド人のサルゴン1世によって王国として統一され、やがて全オリエントを制覇するアッシリア帝国に呑み込まれていく。

エジプトも3000年の長きにわたって興亡を繰り返し、最盛期にはその領土を地中海東岸にまで広げたが、やがて台頭するアッシリア帝国、アケメネス朝ペルシャ、アレクサンドロスの帝国の支配を経て、前30年にローマ帝国に支配されると終焉を迎えることになる。

黄河文明の流れを汲む中国でも、覇権をめぐって興亡が繰り広げられた。殷《いん》、周の成立を経て、春秋・戦国時代という戦乱の世が訪れるが、戦国時代の覇者であるの始皇帝が登場したことによって、ようやく全土の統一を果たすのである。

一方、インダス文明には戦いの匂いが少なく、王や神のような権力的存在が見当たらない。都市は計画的に整備されていたが、成立から約７００年で消滅する。その後は、イスラムの侵入を受け、近代にはイギリスの植民地になるなど他民族に翻弄される歴史を持つのだ。

　こうした人間の営みが延々と積み重ねられた結果が、現在の世界なのである。

古代ギリシャ
エーゲ海をめぐる激動の歴史とは？

　ユーラシア大陸と東アフリカで世界四大文明が発展していたその頃、エーゲ海とその周辺地域では、３つの文明が誕生している。小アジア（現トルコ）のトロイ周辺に成立した「トロイ文明」、クレタ島を中心とした「クレタ文明」、そしてギリシャ半島の街ミケーネで発展した「ミケーネ文明」である。

　これらは「エーゲ文明」と呼ばれ、青銅器や線文字などの文化に優れ、海上貿易が発展していたことから海洋文明ともいわれた。

だが、エーゲ文明は前１４００～１２００年にかけて大陸から南下したアカイア人やドーリア人の侵入によって滅亡する。

エーゲ海沿岸地域は他民族がもたらした破壊と混乱で暗黒時代に突入したが、やがて安定を求める共同体が生まれ、前８世紀頃からバルカン半島の南西部や小アジアに集住が始まった。

これが都市国家群ポリスのはじまりであり、ギリシャ文明の夜明けだった。

ポリスはその規模も大小さまざまで、現在のギリシャの首都であるアテネも、もとはポリスのひとつだった。

そんなアテネが頭角を現したのがペルシャ戦争である。海上貿易への依存度が高かったポリス社会にとってエーゲ海は商業の要だったが、その制海権を奪うべくオリエントの支配者であったアケメネス朝ペルシャが動き出したのだ。

商業権益をめぐる争いがやがて小アジアのポリス市民の反乱に発展し、前５００年にペルシャ戦争が勃発。ギリシャのポリスはアテネやスパルタを中心とした連合軍として団結し、大国アケメネス朝を撃退した。

戦争終結後、対ペルシャ防衛のためのデロス同盟を結成し、その中心となったアテネは

◆ペルシャ戦争時の勢力図

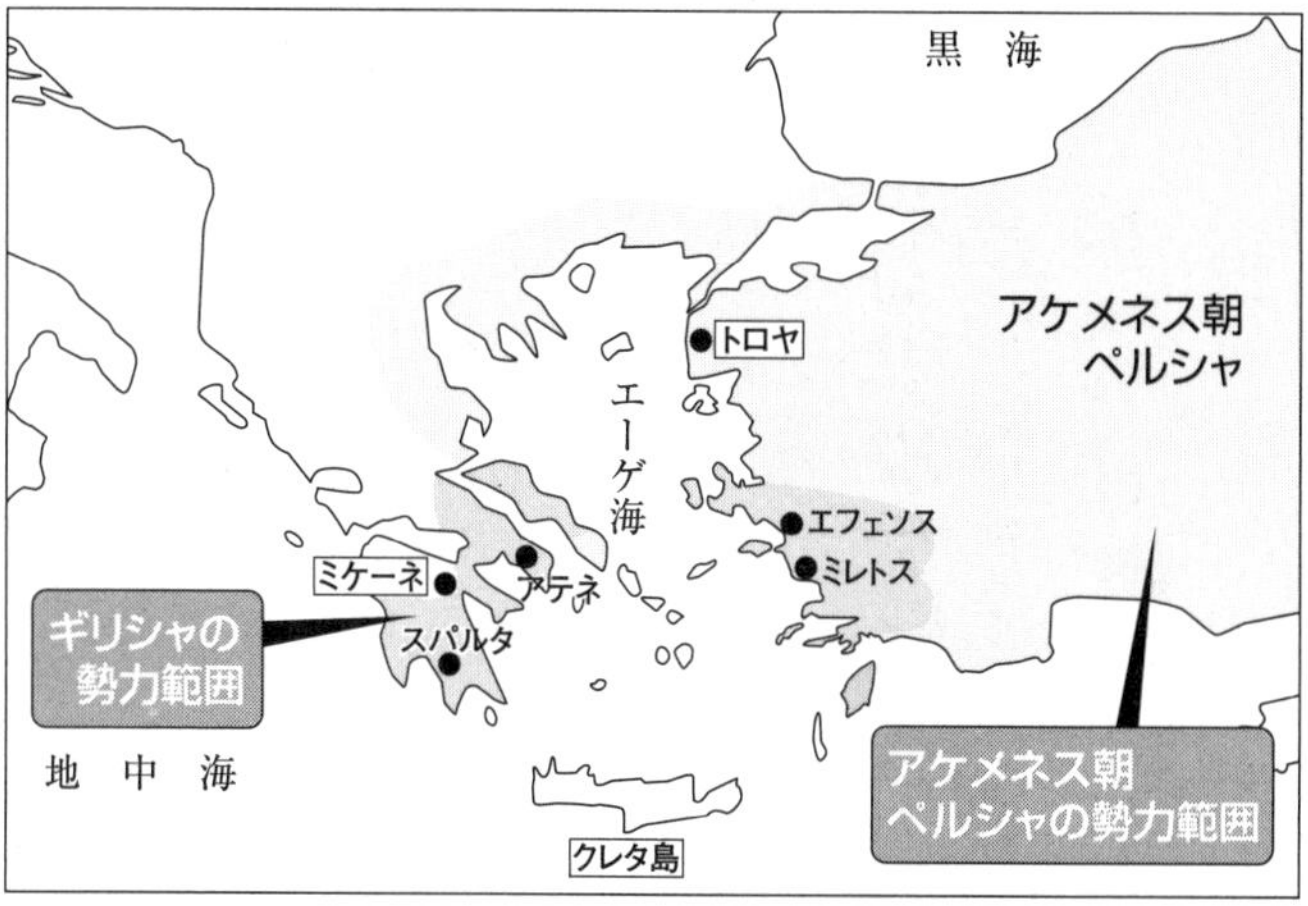

ギリシャ世界を制覇、ギリシャ第一のポリスとして発展する。

しかし、アテネと同じく連合軍を結成してペルシャ戦争を戦ったスパルタが、アテネを中心とした体制に不満を抱き、今度は両者が対立し始めるのだ。

やがて「デロス同盟」を率いるアテネに対し、スパルタは「ペロポネソス同盟」を結成。周囲のポリスを巻き込んで前431年、「ペロポネソス戦争」に突入する。

戦局は当初アテネが優勢だったが、アテネの指導者ペリクレスが疫病によって開戦後まもなく死亡すると、ペルシャから軍の派遣や資金の援助があったスパルタが勢力を盛り返し、前404年、アテネに勝利しギリシャ世界を制覇した。

　だが、スパルタによって統治されたギリシャはポリス社会の没落を招く。開放的で文化面で優れていたアテネに対して、スパルタの国家は軍事が主体で閉鎖的な制度に縛られていたからだ。そのため、民主政治が腐敗し衰退の一途をたどる。

　その後、スパルタはアイオリス人のポリスであるテーベに敗れ、そのテーベは前３３８年、マケドニアのフィリッポス2世に敗れたことでギリシャ世界の覇権を明け渡すことになる。

　国家としての独立性を失ったギリシャは、その後アレクサンドロスの帝国に支配され、前2世紀にはローマ帝国の属州として存在していくのだった。

アレクサンドロスの帝国
広大な版図を手に入れた青年王の栄光と挫折

　エジプトの都市アレクサンドリアは、首都カイロに次ぐ第二の都市として知られている

◆アレクサンドロスの帝国

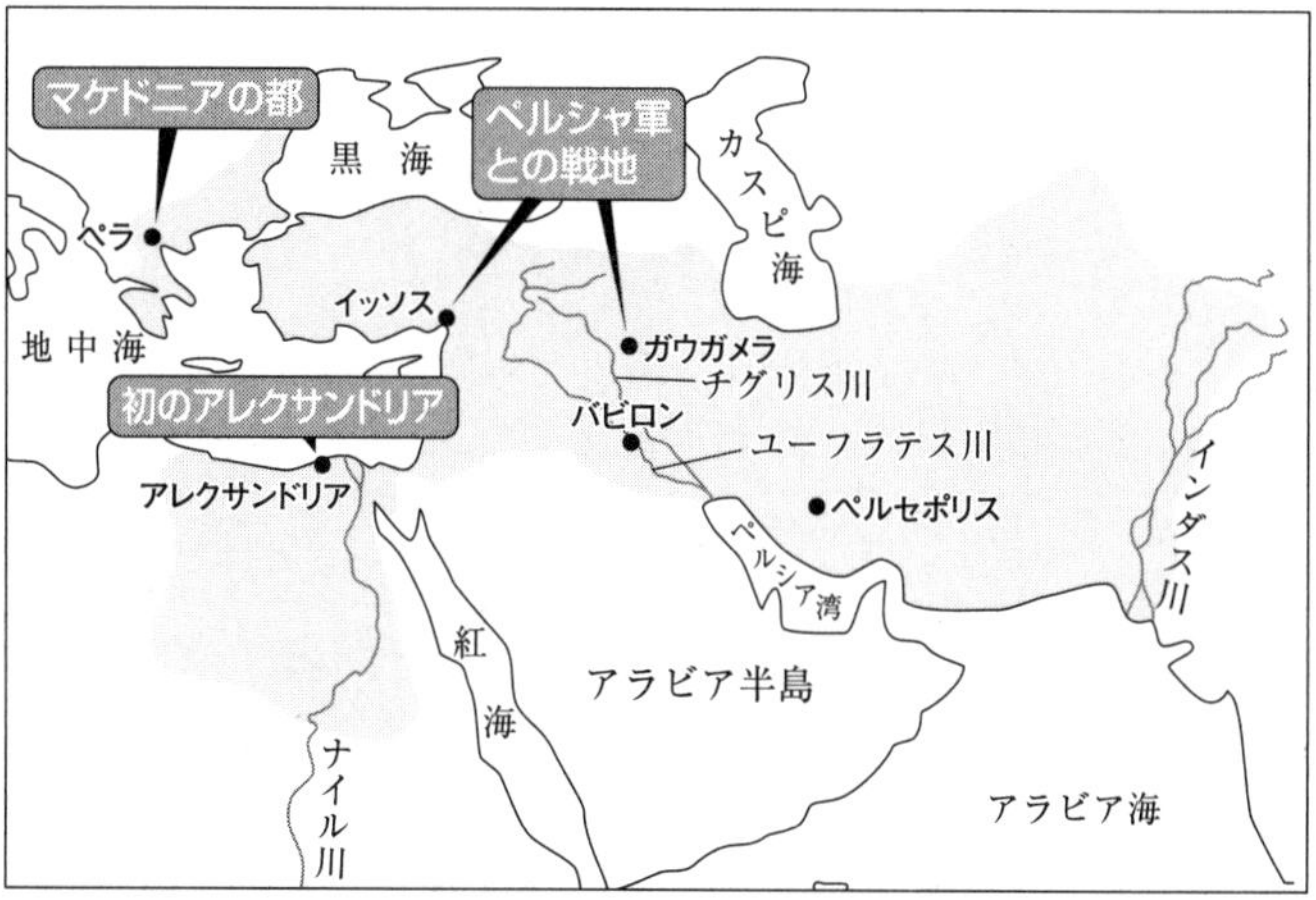

が、実は「アレクサンドリア」と名づけられた街はここだけではない。

　この都市名は、前336年にマケドニア王に即位し、当時のオリエントの覇者アケメネス朝ペルシャを倒したアレクサンドロス大王の名を冠している。

　アテネ対スパルタというギリシャの内乱に加勢して、結果的にギリシャを滅亡に追いやった軍事大国のアケメネス朝ペルシャだったが、やがてその内部で権力闘争が勃発する。

　それを戦機と見たのがアレクサンドロス大王だ。マケドニア周辺国を瞬く間に制圧すると、アケメネス朝ペルシャ打倒を掲げ、前334年にマケドニアを出発する。

　前333年、地中海東岸のイッソスでペル

シャ軍に大勝すると、エジプトを占領したアレクサンドロスはまず、ここに植民都市アレクサンドリアを建設した。続いて、前331年の「ガウガメラの戦い」にも勝利したアレクサンドロスの軍はペルシャ領を併合し、インドをめざすのである。

その約2万キロメートルにも及ぶ東方遠征で、古代オリエントの各地にアレクサンドリアの名をつけた都市が次々に誕生し、西はエジプトから東はインダス川の流域までその数は70以上に及んだ。

アレクサンドロスの帝国が急速に、そして確実に拡大したのは東西融合政策をとったからだ。それはマケドニア人とペルシャ人を同権とみなすものであり、ペルシャ人を正規軍に編入させ、ペルシャの宮廷儀礼を採用するなど、敗者であるペルシャを尊重するものだった。

こうしたアレクサンドロスの統治の考え方のベースには、少年時代にギリシャの哲学者アリストテレスから学んだ帝王学があるといわれる。

また、幼い頃から母オリュンピアスに「英雄になることがお前の務め」と言われ続けてきたことも無関係ではないだろう。

さらに、貨幣単位を統一し、共通語を制定したことで広大な交易圏が誕生すると、ギリシャ文化とオリエント文化が行き来するようになり、「ヘレニズム文化」が誕生する。ヘレニズム文化は、まさに〝文化のグローバル化〟と呼ぶにふさわしく、東西融合政策をきっかけに新たな時代と文化が歴史に刻まれたのである。

だが、アレクサンドロスは短命だった。インダス川流域まで遠征した後、ユーフラテス川流域のバビロンまで戻ってきたアレクサンドロスは32歳の若さでこの世を去った。その死因については高熱説が大方の見方だが、東西融合政策を快く思わなかったマケドニア貴族らによる暗殺説もささやかれている。

若くして最期を迎えたアレクサンドロスに後継者はなく、ディアドコイ（後継者）の争いが勃発した。

だが、アレクサンドロスをしのぐ実力者が現れるはずもなく、帝国は分裂し、領土はアンティゴノス朝マケドニア、プトレマイオス朝エジプト、そしてセレウコス朝シリアに分かれた。

その後、地中海沿岸地域を中心に勢力を拡大していたローマ帝国によっていずれの国も滅ぼされることになる。

ローマ帝国

地中海の覇権を握った巨大帝国が分裂するまで

ローマは一日にしてならず——という諺があるように、一都市国家だったローマが大帝国に発展するまでには長き道のりがあった。

イタリア半島中西部に居住するラテン人によって都市国家ローマが建設されたのは、伝説によると前７５３年のことだといわれている。

建国当初、ローマはエトルリア人の王が支配していた。しかしその後、勢力を拡大したローマ人は、前５０９年にエトルリア人の王を追放すると貴族を中心とした共和政の国となった。

この共和政の時代に、ローマは領土を一気に拡大する。イタリア半島の各都市を制圧すると同時に、交通網を整備することでその支配地域を順調に拡大させていったのだ。

ローマがイタリア半島の統一を果たしたのは紀元前２７２年のことだ。南イタリアにあ

◆ローマ帝国の最大領域（117年）

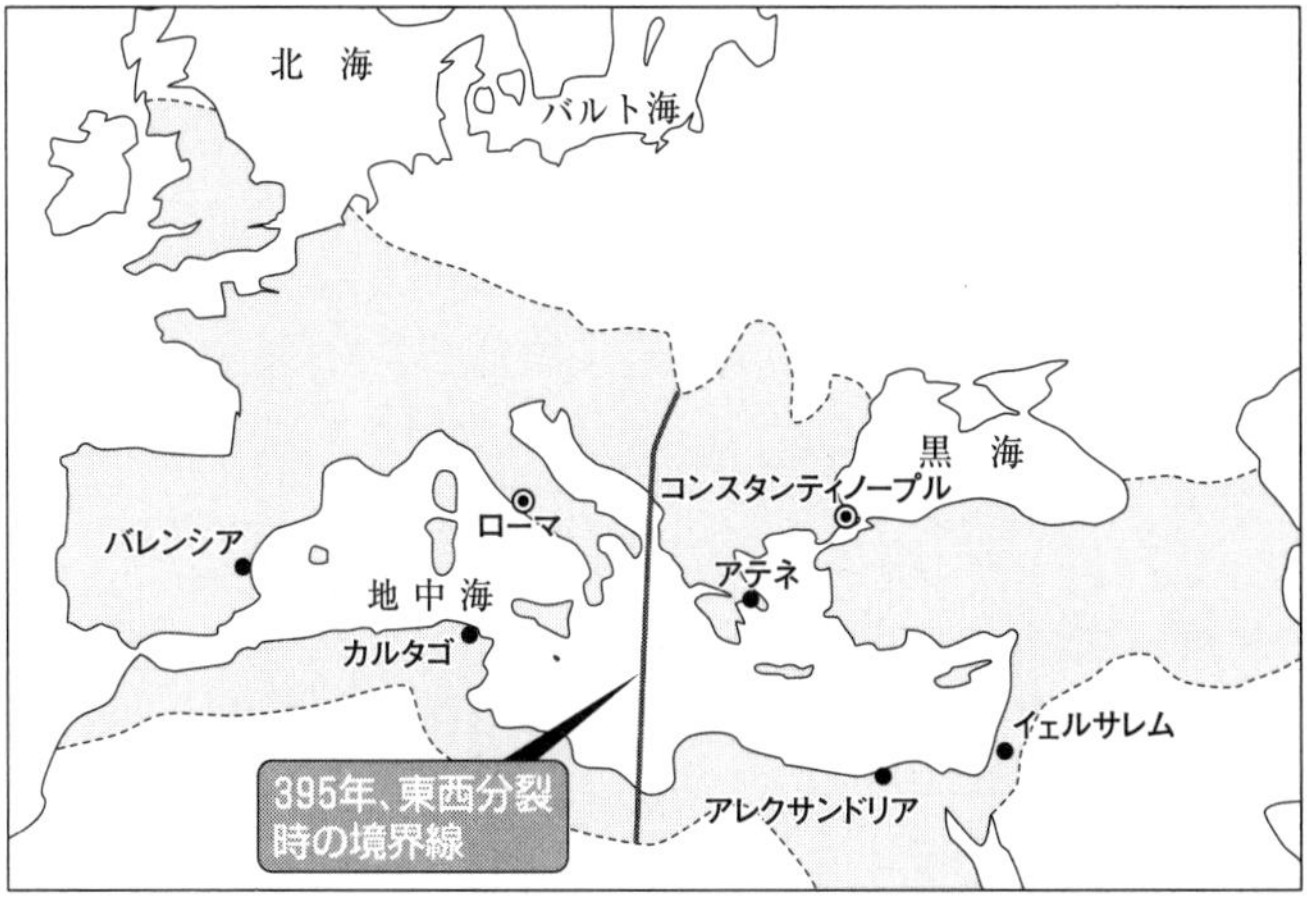

ったギリシャの植民都市タレントゥムとの戦いに勝利した時だった。そこからさらに地中海への進出を図るが、その対岸には北アフリカからイベリア半島にかけて勢力を拡大していたフェニキア人の国家カルタゴが待ち受けていた。

地中海の制海権をめぐり、名将ハンニバルが率いるカルタゴ軍と3度にわたる「ポエニ戦争」を繰り広げたローマは、「第2次ポエニ戦争」で地中海に浮かぶコルシカ、サルディニア、シチリアの島々と、現在のスペインの一部を獲得し、「第3次ポエニ戦争」でついにカルタゴを滅亡に追いやるのである。

さらにポエニ戦争と同時期に、王を失って分裂していたかつてのアレクサンドロスの帝国にも手を伸ばし、前１４８年にはアンティゴノス朝マケドニア、前63年にはセレウコス朝シリアを制圧し、その領土を一気に拡大していく。

さらに、女王クレオパトラが支配していたプトレマイオス朝エジプトにも侵攻したローマは、前31年のアクティウムの海戦で勝利する。エジプトが陥落し、ついに地中海全域の覇者となったのだ。

地中海を制覇したローマはその後、帝政となり、２００年にわたる安定した時代を迎えることになる。この時代はパックス・ロマーナ（ローマの平和）といわれている。

経済面ではアラビアやインド、中国との貿易が盛んになり商業が発達した。また、今もなおローマの街でその存在感を見せつけるコロッセウムやパンテオンの建築物もこの時代に建立され、華やかなローマ文化や生活様式が確立されている。

だが、その平和と繁栄も永遠のものではなかった。2世紀後半になると、ゲルマン人がローマに侵入し、度重なる外圧との戦いによって帝国は疲弊していく。各地の軍隊が勝手に軍人皇帝を擁立したことで、帝国は行き詰まりをみせるようになるのだ。

3世紀末になるとこの混乱はディオクレティアヌス帝によって収められたものの、それも一時的なものにすぎなかった。

皇帝が死去すると再び混乱に陥ったローマ帝国は、３３０年に首都をコンスタンティノープル（現イスタンブール）に移したが、求心力を取り戻せず、３９５年にはついに東西に分裂、大帝国の歴史に幕が下された。

漢の統一
アジアを舞台にした古代中国の興亡

日本の約25倍の国土を持つ中国のはじまりは、４０００年前に黄河流域の仰韶《ぎょうしょう》や竜山《りゅうざん》に文明が生まれたのが発祥だ。

それから２０００年あまり経た前１６００年、中国最古の王朝である殷が興る。そしてその約５００年後、殷の配下にあった周が殷の王を倒して周王朝の時代となり、やがて春秋・戦国時代を経て、前２２１年、秦の始皇帝によって初めて中国統一が果たされた。

しかし、統一後も領土を拡大したとはいえ、秦の領域はアジア大陸全体から見れば東部の一部にすぎなかった。

古代中国の王朝で最大の領域を誇ったのは、前202年から約400年にわたって続いた漢の王朝である。

漢の最大領域は、南北は現在のモンゴルからベトナムまで、東西は朝鮮半島からタクラマカン砂漠を越えて中央アジアまで広がった。東西の距離は、実にユーラシア大陸の約3分の1にも相当する広さである。

ユーラシア大陸には東西に走るクンルン山脈があるが、当時、その雪どけ水が流れ落ちるオアシスには古代人が建てた多くの都市があった。そして、それらの都市の間を商隊が歩いた道が、「シルクロード」だ。

当時、中国で産出される絹は他の地域で生産することができなかったため、中国産の絹はこの道を通り遠くローマまで運ばれたのだ。

さらにシルクロードは漢に物資だけでなく、外交政策上の貴重な情報をもたらすことになる。

前2世紀後半、全盛期を迎えた漢の第7代武帝は積極的な対外政策を打ち立てた。匈奴《きょうど》を征討するべく大月氏《だいげっし》に派遣されていた張騫《ちょうけん》から、中央アジア方面の情報がもたらされると、武帝はオアシス都市を服従させるため大軍を差し向けた。

◆ユーラシア大陸とシルクロード（紀元前2世紀頃）

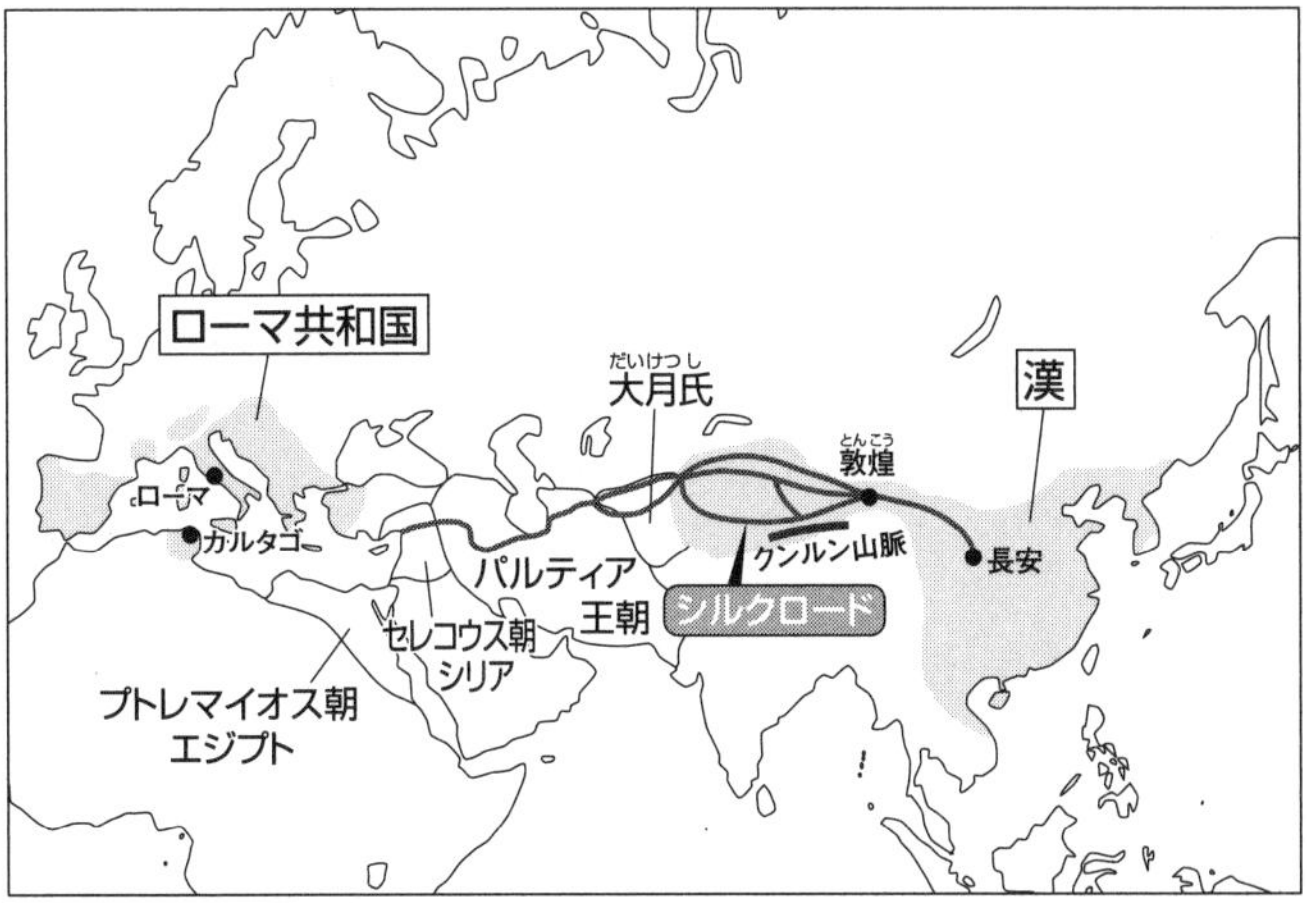

だが、度重なる外征により漢の財源は逼迫し、中央への不満が高まると社会の秩序が崩れていく。やがて武帝がこの世を去ると、外戚の王莽《おうもう》によって漢は滅亡に追いやられてしまうのだ。

王莽は新《しん》を建国したが、その横暴なやり方に全国の民衆が反乱を起こし、わずか15年で新は滅亡する。その後、漢は王族の劉秀《りゅうしゅう》によって再建され、動乱で疲弊した経済や農業生産力を回復させた。

だが2世紀に入ると、またも外戚が権力を振るうようになり、国家としての求心力は弱まっていく。地方では豪族が勢力をふるい、農民らの反乱が急増して、先の滅亡をなぞるかのように漢は衰退の一途を辿るのである。

シルクロードは、漢以降も交易の道としてその役割を果たし、仏教やゾロアスター教などの宗教も中国に伝えたが、7世紀前半に中国を再統一した唐が9世紀になって衰退を始めると、中央アジアでの民族間の抗争が激しくなり、しだいに東西交易のルートは海上へと移る。

以降、中国から西洋世界までをつなげていたシルクロードは衰退していく。

そして、唐の滅亡以降、分裂した中国は五代十国の興亡を経て９６０年に宋の時代を迎える。宋が金に侵略されると、やがてユーラシア大陸を席捲するモンゴル帝国に呑み込まれていくことになる。

フランク王国
その歴史が西ヨーロッパ世界の「原形」をつくる

ローマ帝国の東西分裂以降も、国力の衰えない東ローマ帝国（ビザンツ帝国）に対して、西ローマ帝国はゲルマンにその領土を支配されわずか80年で消滅し、分裂する。

◆フランク王国の分裂

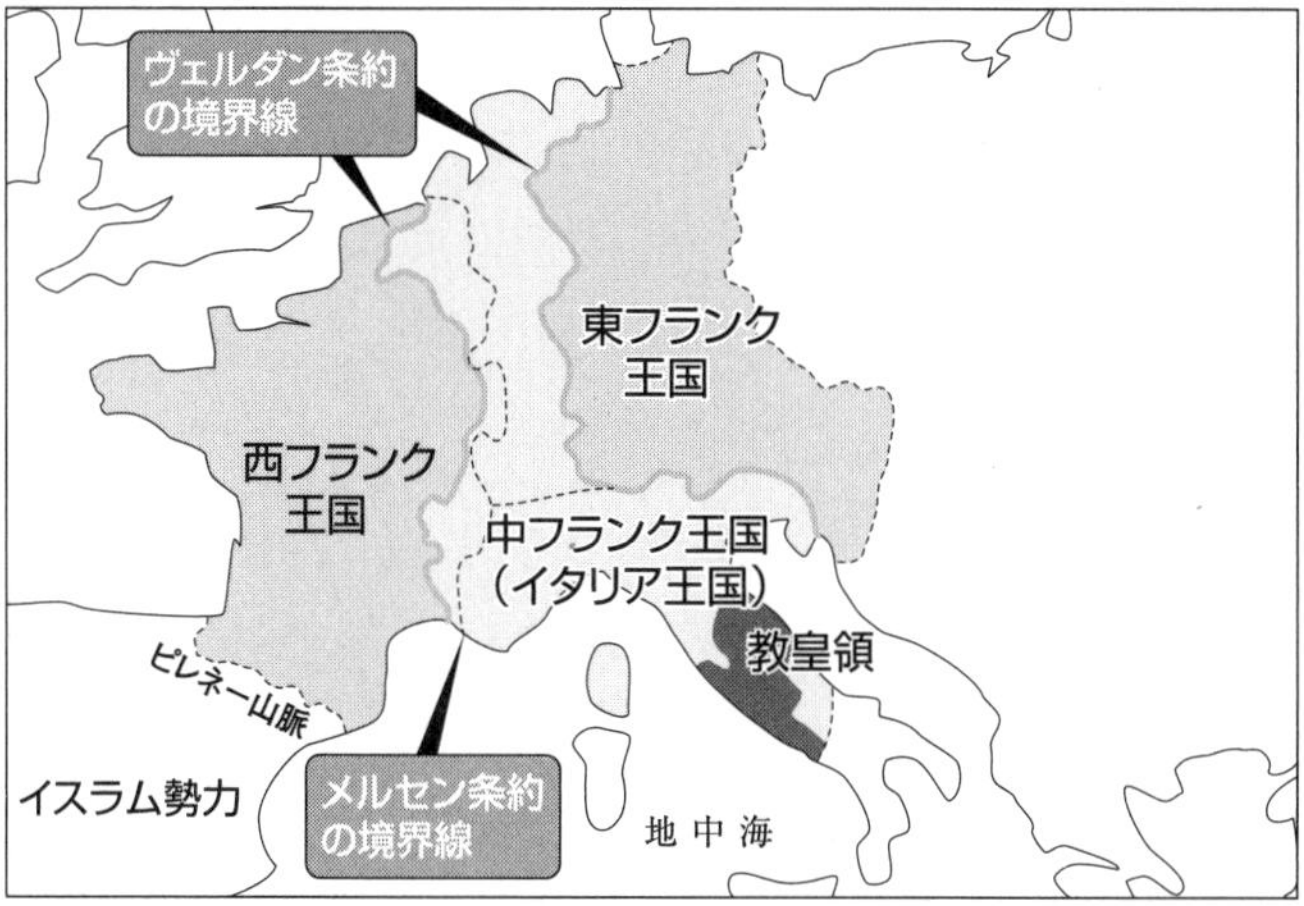

そこで、東ローマ帝国支配下にあったコンスタンティノープル教会に対してローマ教会は独自の動きを強めていった。

ところで、8世紀頃の地中海はまさに「イスラムの海」という様相で、イスラム勢力は西アジアから北アフリカ、イベリア半島までの領域と、地中海の真ん中に浮かぶシチリア島にまで及んでいた。

一方、キリスト教勢力は、西はピレネー山脈から東はアナトリアまでをその領域にしていたが、その体制はけっして磐石なものではなかった。そこでローマ教会が接近したのが、フランク王国である。

フランク王国が建国されたのは481年、476年に滅亡した西ローマ帝国の領域にゲルマン人の一部族であるフランク族が入り、ガリア地方を制して基盤を固めたことに始まる。

フランク王国を築いたクローヴィスはパリに都を置き、メロヴィング朝を開いた。そして、その土地に暮らしていたローマ人と同じキリスト教の宗派に改宗し、友好的な関係を築く。さらに、近隣国への侵攻を続け南のブルグント王国、イベリア半島の西ゴート王国をも征服した。

だが、遺産分割の慣わしがあったフランク族では王が死去すると領土の分裂と統合が繰り返され、クローヴィスの代には広大な領土を誇っていた王国もやがて衰退する。それにともなって力をつけたのが、領地を管理する最高職である宮宰についていたカロリング家だ。

宮宰職を世襲化し、事実上フランク王国の実権を握ったカロリング家は、732年、ピレネー山脈を越えて迫ってきたイスラム勢力の撃退に成功する。キリスト教世界の守護者として名を挙げ、ローマ教皇との結びつきを強固なものにした。

さらに、メロヴィング朝を廃止し、751年にはローマ教皇の支持を受けてカロリング朝を創設。名実ともにフランク王国の支配者となったのだ。この返礼として、カロリング朝の初代王に就いたピピン3世（小ピピン）は、イタリア半島北部を支配していたロンバルド王国のラヴェンナ地方を2度にわたって攻略し、ローマ教皇にその土地を寄進している。

やがてピピンの子であるカール大帝の時代になると、ドイツ諸公国などを併合してその国境線を大きく東に広げた。

その手腕に目をつけたローマ教皇レオ3世は、800年のクリスマスに聖ペテロ教会でカール大帝に戴冠し、「西ローマ帝国皇帝」の称号を与えたのだ。

だが、カール大帝がこの世を去ると、フランク族の遺産分割の習慣が広大なフランク王国の領土をまたもや切り刻むことになる。

その領土は3人の子供に相続され、843年の「ヴェルダン条約」、そして870年の「メルセン条約」で西フランク王国、東フランク王国、中フランク王国の3つに分割されたのだ。

それら3つの国は、現在のフランス、ドイツ、イタリアの原型となって歴史の舞台で存在感を発揮していくのである。

イスラム帝国

イスラム文明の拡がりは世界をどう変えたか

７世紀初頭のユーラシア大陸で、西アジアの大国ササン朝ペルシャと東ローマ帝国が勢力争いをしていた頃、アラビア半島の紅海近くに位置する街メッカではイスラム教が成立した。

ある時、山に入って瞑想するムハンマドのもとに、唯一神アラーの使者である天使ガブリエルが降りてきて啓示を授ける。それが、イスラム教のはじまりだった。

だが、唯一神アラーへの信仰は、多神教で混沌としていた当時のアラブ社会で反発を招き、ムハンマドは富を独占していた商人たちから迫害される。

その迫害から逃れるために６２２年、メッカをあとにしたムハンマドはメディナに聖地を移し、そこで多くの信者を獲得した。６３０年にはメッカに戻ってこの地を征服し、アラビア半島を統一するのだ。

◆イスラム帝国の最大領域

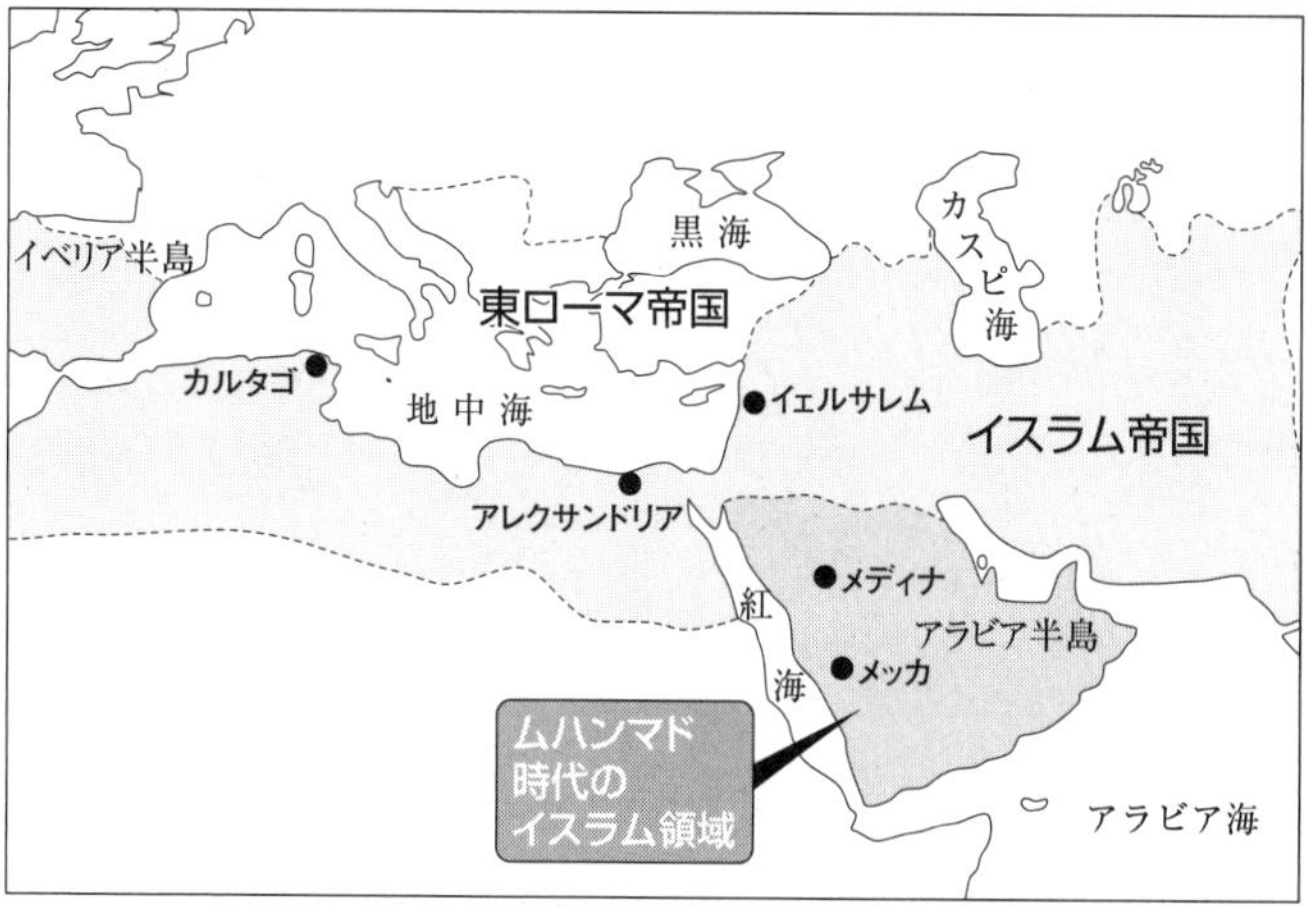

その後、632年にムハンマドが死去すると、初代カリフ（イスラム国家の指導者）にアブー・バクルが就任。ここから第4代カリフのアリーが暗殺されるまでは正統カリフ時代と呼ばれ、この約30年間に聖戦（ジハード）による大征服を行ったイスラム軍は、ササン朝ペルシャを倒し、その領域を中央アジアから北アフリカにまで拡大した。

そして、661年に正統カリフ時代が終焉を迎えると、メッカ出身のウマイヤ家の一員で、シリアの総督だったムアーウィヤがカリフ権を獲得し、史上初のイスラム帝国であるウマイヤ朝が誕生したのだ。

ウマイヤ朝は711年には北アフリカの対岸にあった西ゴート王国を滅ぼし、イベリア半島にまで進出する。イスラム帝国はこの時、その版図を最大にした。

だが、アラブ人至上主義でアラブ人を優遇してきたウマイヤ朝の体制が、全イスラム教徒の平等を説いたコーランに反するとして、反ウマイヤ朝運動が勃発したのだ。

そして、750年に革命が起こり、ウマイヤ朝は非アラブ人に支持されたアッバース家によって倒される。

アッバース朝は、762年に新都バグダッドの建設にとりかかり、バグダッドは9世紀にかけて人口100万人を抱える大都市に発展するのである。

だが、官僚を中心とした中央集権的手法は上下関係を生み出し、巨大化した帝国内部では反乱が起きて、各地に独立王朝を樹立した。

イランのサッファール朝、エジプトのトゥールーン朝、そしてチュニジアのファーティマ朝などが次々と成立し、イスラム帝国は事実上、分裂する。

だが、この分裂はイスラム世界のさらなる拡大を意味していた。

10世紀半ばにはインド北部にイラン系ガズナ朝が成立し、11世紀に入るとイスラム教に集団改宗したトルコ人によるセルジューク朝が樹立する。北アフリカのチュニジアではベルベル人の改宗が進み、11世紀にムラービト朝が成立している。

次々に誕生したイスラム勢力はキリスト教十字軍との戦いでも衰えることはなく、13世紀にユーラシア大陸を支配したモンゴル帝国の一部をもイスラム化させ、その勢力を拡大していくのである。

モンゴル帝国

モンゴル帝国が〝世界最大の帝国〟になれたのは？

人類の長い歴史のなかで、他に類をみない広大な領土を誇ったのがモンゴル帝国である。この巨大帝国の創始者で、数十万の兵を率いたのがチンギス・ハンだ。

北アジアの草原地帯の小さな部族に生まれたチンギス・ハンには、幼少名をテムジンといった。テムジンがチンギス・ハンと名乗ったのは、１２０６年、モンゴルの草原の覇者となった時である。「ハン」は、遊牧民部族の集団の長を指す。

つまり、１２０６年がモンゴル帝国の元年にあたり、この時チンギス・ハンは40代半ば過ぎだったと推測されている。

そんな〝遅咲きの英雄〟が最初に攻めた大国は、現在の中国の北部から黄海にかけて勢力を伸ばしていた金王朝だ。

この頃の金は、国力に陰りが見え始めていた。2年にわたる南宋との戦いなどで軍が疲弊し、飢饉や疫病が蔓延した王国には強力な指導者もなく、その体制はかなり弱体化していたのだ。

モンゴル軍が、そんな金を倒すのは容易だった。あっけなく金を破ると、次にチンギス・ハンは西の大国、ホラズム王国に向かう。

ホラズム王国は、中央アジアからイラン高原に至る地域を支配していたイスラム国で、東に隣接するアッバース朝への攻略の機会をうかがっていた。

そこへ1219年、チンギス・ハンが20万の兵を率いて襲来し、イスラムの雄であったホラズム王国をわずか2年の交戦で崩壊させる。

こうして北中国からイラン高原までを手中に収めたモンゴル帝国は、史上空前の大帝国として姿を浮かび上がらせた。

だが、チンギス・ハンは大遠征から帰国後、1227年にこの世を去る。遺産である129の千人隊は、その3人の弟と4人の息子たちに分与されることになり、四男トゥルイ

◆モンゴル帝国の最大領域

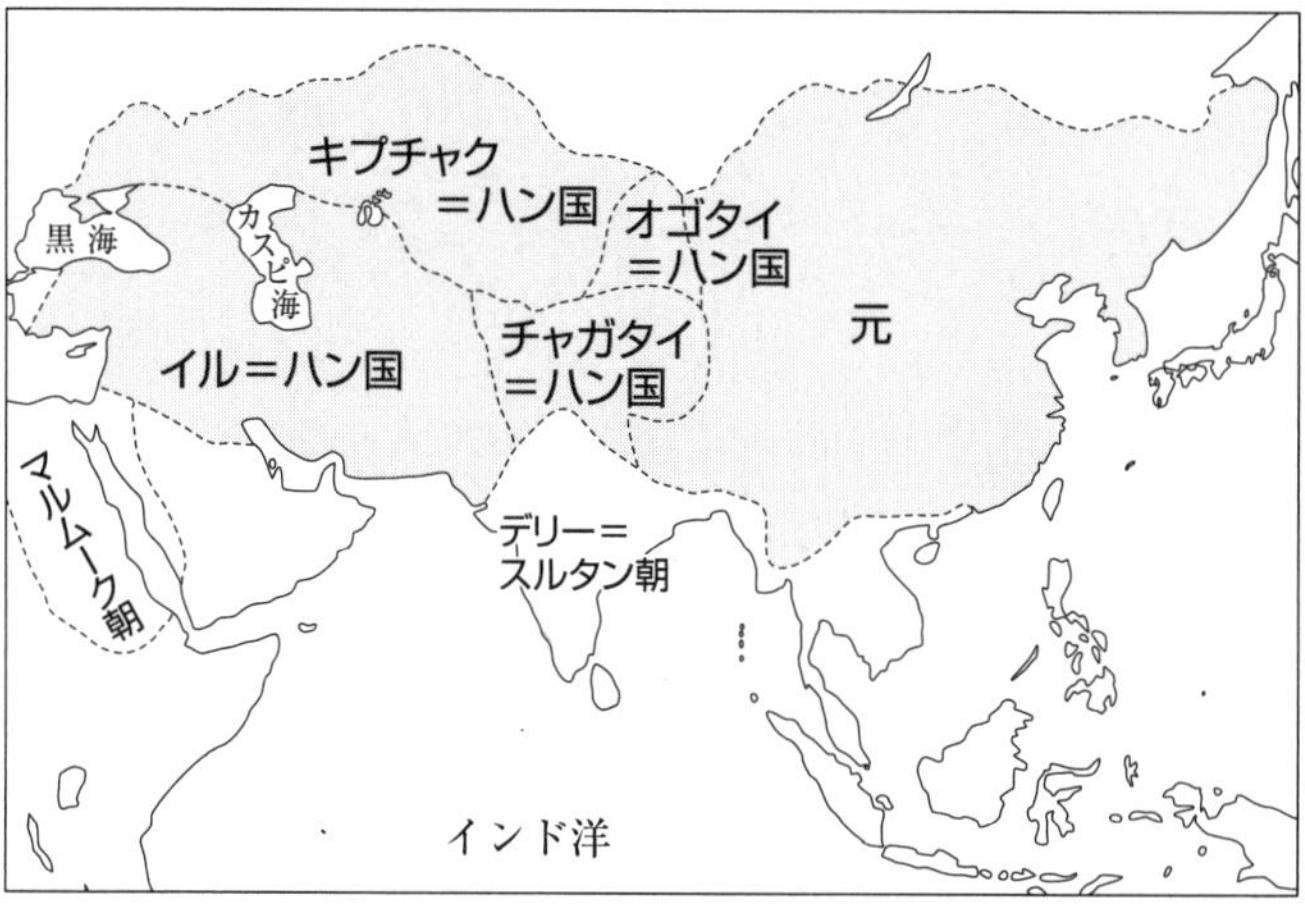

が101隊という圧倒的な数を受け継いだ。

だが、トゥルイはモンゴル帝国の後継者に就くことなく死去した。2代目のハン位についた三男のオゴタイは長兄の息子バトゥに陣頭指揮を執らせて、1240年に南ロシアのキエフを攻略し、その翌年にはドイツ・ポーランド連合軍に勝利してハンガリーにも歩を進める。また、トゥルイの息子であるフラグは、バグダッドを占領してアッバース朝を倒した。

こうしてチンギス・ハン没後も領土を拡大し続けたモンゴル帝国は、5代目フビライ・ハンの時代に頂点を極めるのである。

フビライはアッバース朝を倒したフラグの弟で、フラグの中東攻略と時を同じくして東アジアの南宋を攻略した。

この頃、モンゴル帝国の一部ではチンギス・ハンの子孫らが4ハン国（オゴタイ＝ハン国、チャガタイ＝ハン国、キプチャク＝ハン国、イル＝ハン国）を形成し、フビライが東アジアに中国風の王朝「元」を打ち立てると、軍に推されてモンゴル帝国の大ハン位に就いた。

だが、巨大帝国の輝きは永遠のものではなかった。その後、4ハン国は内紛や近隣国からの圧迫により衰退していく。

元もまた、1世紀にわたって中国を支配したものの、朱元璋率いる明によってモンゴル高原へと追いやられるのだ。

オスマン帝国
イスラム世界の頂点に立ち、ヨーロッパを席捲した強国

13世紀のアナトリア半島は、ヨーロッパ側の勢力である東ローマ帝国とアナトリア地方

◆オスマン帝国の故地と最大領土

を拠点とするルーム・セルジューク朝の国境が置かれており、群雄が割拠している状態にあった。

その一角に、ルーム・セルジューク朝に仕えていたオスマンが独立国を建国する。オスマンはイェニチェリ（新軍）を創設するとヨーロッパ側に渡り、東ローマ帝国のアドリアノープルを占領して遷都する。

1396年には「ニコポリスの戦い」でヨーロッパ連合軍（十字軍）を破り、勢いに乗るのである。

だが、東には強敵があった。建国以来、疾風のごとく勢力を伸ばしてきたティムール朝だ。1402年、「アンカラの戦い」でティムール朝に敗れたオスマン帝国は、滅亡の危機にまで追い込まれてしまう。

しかし、オスマン帝国は復活する。第7代スルタンのメフメト2世によって帝国が再興されると、その勢いに乗って東ローマ帝国の首都コンスタンティノープルをその手に収め、約1500年続いた東ローマ帝国を滅ぼす。

コンスタンティノープルはイスタンブールと改められ、オスマン帝国の首都となったのだ。

それ以降もオスマン帝国は版図を次々と拡大し、１４６０年にギリシャを併合すると、さらにエジプトを占領してマムルーク朝を滅亡させる。

帝国が絶頂期を迎えたスレイマン1世の治世には、「モハッチの戦い」でハンガリーを占有し、１５２９年には第1次ウィーン包囲でオーストリアにも侵攻した。その時のオスマン帝国の領土は古代ローマ帝国の領土の4分の3にも達している。

スレイマン1世のもと帝国がこのように順調に発展したのは、異民族の信仰や言語を強制することなく自由を保障し、自治を認めたことにある。そうした政策が功を奏し、ヨーロッパ諸国をも圧倒する最強の帝国となったのだった。

だが、スレイマンがこの世を去ると１６８３年の「第2次ウィーン包囲」に失敗する。１６９９年には「カルロヴィッツ条約」でオーストリアにハンガリーを割譲するなど、国力を徐々に衰退させていくのだ。

そして、１９１９年に「トルコ革命」（祖国解放戦争）が勃発し、それに乗じたヨーロッパ列強に領土を分割され、占領されてしまうのだ。

さらに、１９２２年にスルタン（イスラムの君主）制が廃止されると、６２３年続いたオスマン帝国は解体され、その名を歴史の中だけに留めることになる。

レコンキスタ
「国土回復運動」でイベリア半島に誕生した2つの王国

ユーラシア大陸の西の果てにあるイベリア半島には、現在スペインとポルトガルという2つの国がある。これらの国は、西ヨーロッパのキリスト教世界の国々とは趣が違っていて、かつては「ピレネー（山脈）の向こう側はヨーロッパではない」ともいわれてきた。その理由は、この地がイスラム教と深い関わりを持っていたからだ。

ローマ帝国時代、イベリア半島はヒスパニアという名の属州のひとつだった。だが、３９５年のローマ帝国の東西分裂後、西ローマ帝国領はゲルマン人に支配される。イタリア半島の北半分にはオドアケル王国、内陸にはブルグント王国、そしてイベリア半島には西ゴート王国など、その領土内にはゲルマン人を王とする王国が樹立するのである。

そして、西ローマ帝国はわずか81年で滅亡し解体されるのだが、この時点まではイベリア半島もゲルマン族に支配された「同じヨーロッパ」だったのだ。

◆レコンキスタの進展

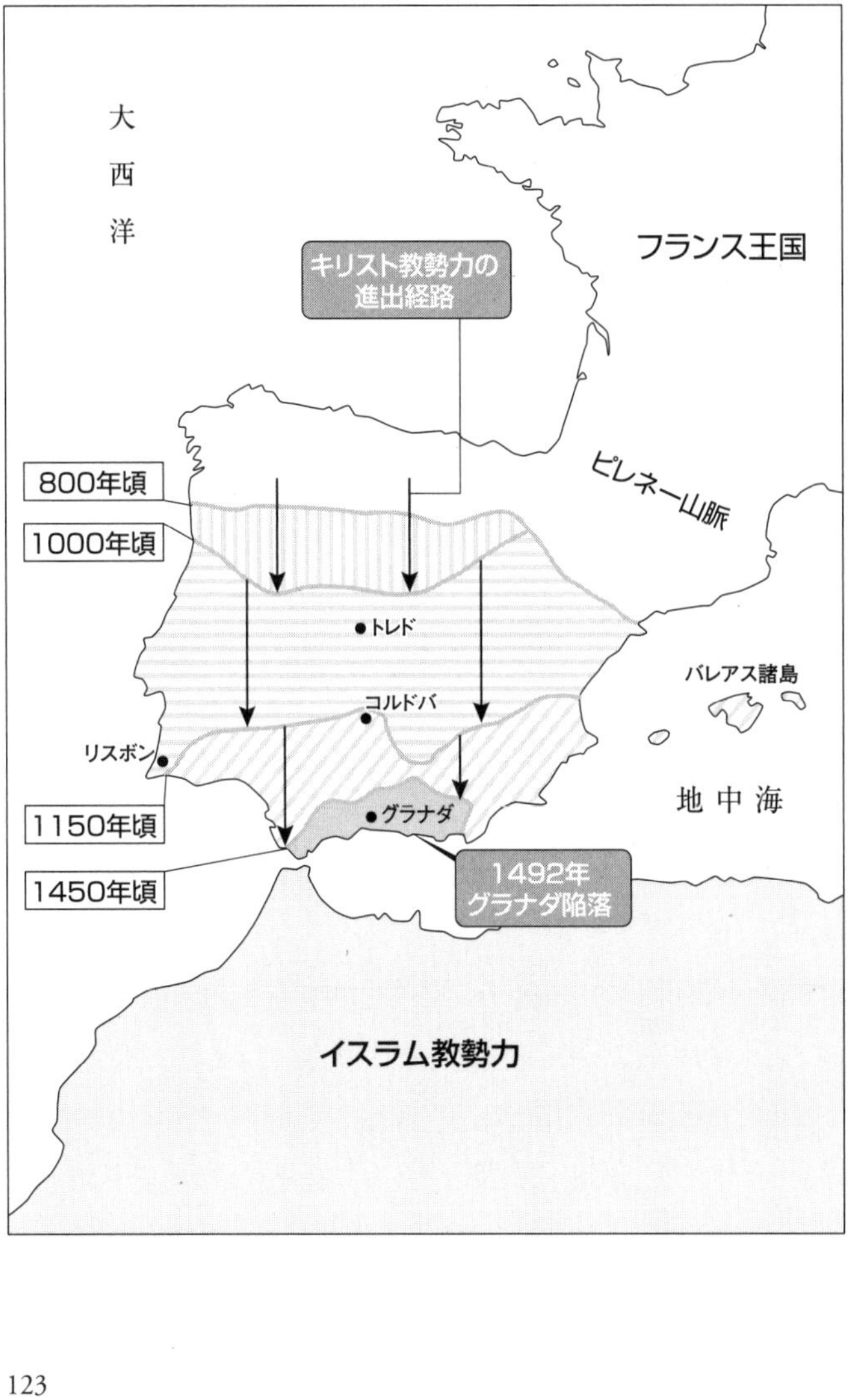
大西洋
フランス王国
キリスト教勢力の進出経路
ピレネー山脈
800年頃
1000年頃
トレド
バレアス諸島
コルドバ
リスボン
地中海
グラナダ
1150年頃
1492年 グラナダ陥落
1450年頃
イスラム教勢力

だが、8世紀に入るとその状況は一変する。750年、北アフリカから西アジアまでの一帯を支配していたイスラム初の帝国・ウマイヤ朝がアッバース朝によって倒されると、ウマイヤ一族がイベリア半島に逃れてきた。

そして756年に西ゴート王国を倒して、後ウマイヤ朝を樹立する。イベリア半島のイスラム化が始まったのだ。

そんななか、半島北部からキリスト教徒によるレコンキスタ（再征服運動）が起こる。

1031年、宮廷内の権力闘争によって後ウマイヤ朝が滅亡するとレコンキスタが本格化し、イスラム勢力をイベリア半島の南端へと追いやることに成功した。

キリスト教徒がイスラムから奪回した領地には、ポルトガルやアラゴンなどいくつかのカトリックの国が誕生したが、その中でレコンキスタの主導的役割を果たしたのがカスティリャ王国だ。

そして、1479年、カスティリャ王女イザベル1世とアラゴン王フェルナンド5世の結婚によりスペイン王国が誕生すると、勢いに乗ったスペイン王国は、イベリア半島南端のグラナダに唯一残っていたイスラムのナズル朝を撃退。1492年にレコンキスタを完了させたのだ。

ちょうどその頃、コロンブスがイザベル女王のもとを訪れ、航海の支援を要請した。時は、大航海時代へと乗り出したのである。

大航海時代
世界を手中に収めたスペイン、ポルトガルの「軌跡」

１４９２年、スペインの女王イザベル１世のもとに現れたコロンブスは、世界航海するにあたり援助を求めた。３隻の船の用意と、発見した土地から上がる収益の10分の１を保障することなどを求めて交渉し、協定を結ぶことに成功する。そして同年８月３日、パロス港を出航し、大西洋を越えてアメリカ大陸に到達した。

一方、それより前から航海を事業として推進していたポルトガルは、黄金や奴隷を求めて早々とアフリカ大陸に乗り出していた。１４８８年にはバルトロメウ・ディアスが最南端の喜望峰に到達し、１４９８年にはヴァスコ・ダ・ガマがインド航路を発見している。

両国の航海熱が高まるなか、船団の到着する先々で両国の争いが起こるようになる。そこでローマ教皇は子午線を境界線に、ヨーロッパ以外の世界をスペインとポルトガルに分けた（教皇子午線）。それをもとに、両国の間で結ばれたのが「トルデシリャス条約」である。

ブラジルが南米で唯一のポルトガル語圏となったのは、トルデシリャス条約の境界線が南米大陸をブラジルとそれ以外の南米の国に分けたためだ。

ポルトガルはブラジルを征服して植民地にすると、次にアジアをめざした。１５１０年にはインドのゴアを占領し、その翌年にはマラッカとセイロン島を発見、１５１７年には中国の明との交易を開始しアジア進出を果たす。

一方、境界線によって南北アメリカ大陸のほとんどで活動の場を得たスペインは、発見した「新大陸」の名を「アメリカ」と名づけ、新大陸の経営に乗り出す。

そして、南米のアステカ帝国とインカ帝国に侵入し、中南米に脈々と続いていた文明を滅亡に追い込むのだ。

こうして世界を二分して繁栄した両国だったが、その力関係はスペインが上回った。フェリペ２世が１５８０年に実力でポルトガルを併合するのだ。

だが、植民地帝国スペインの繁栄は長くは続かなかった。オスマン帝国やイギリスとの

◆大航海時代のポルトガル・スペインの支配地域

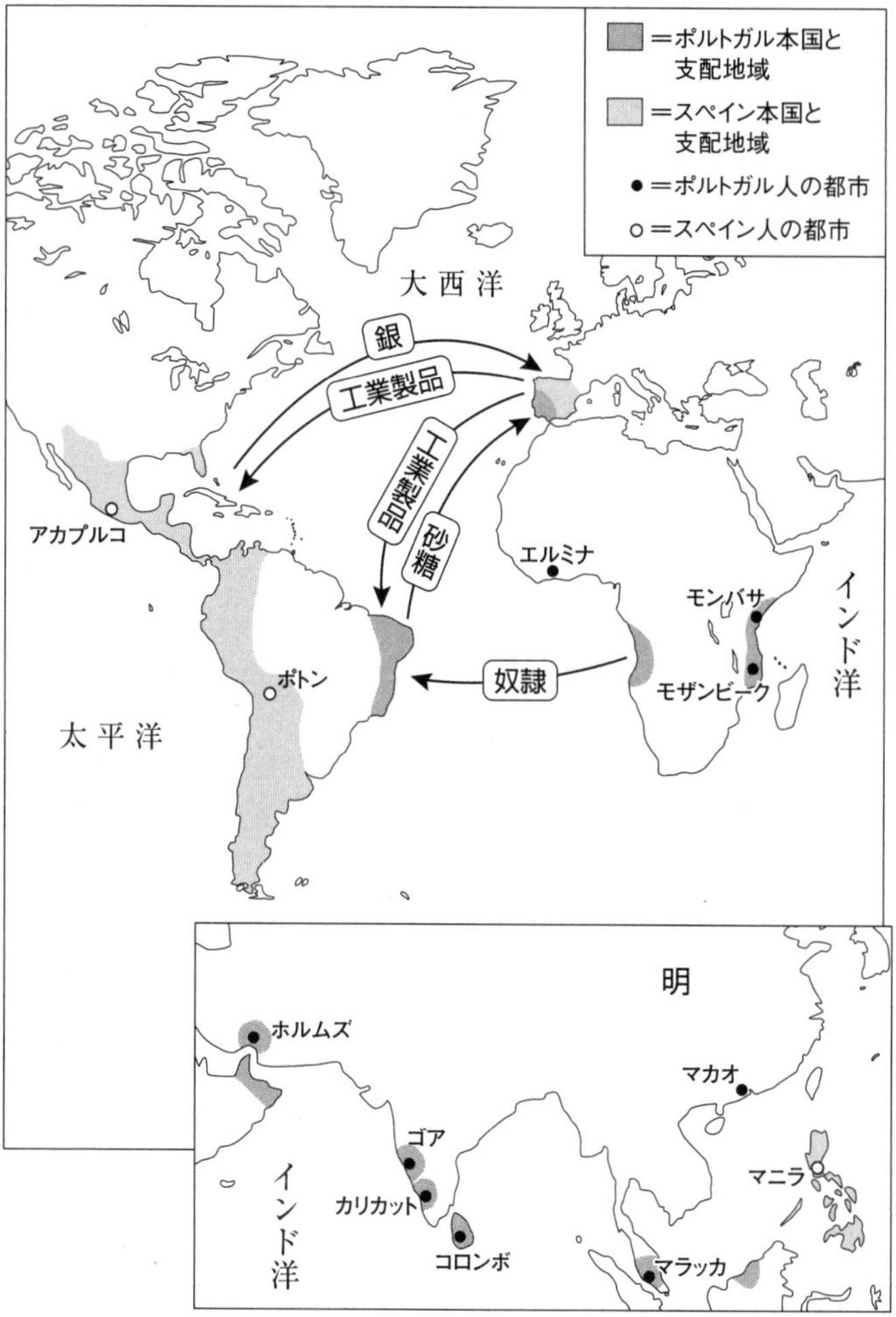

海戦に敗れ、さらには重税に反発したオランダが独立戦争に乗り出したのだ。それはドイツから興った宗教改革と重なり、戦火は拡大していった。

約80年にわたる戦争の末、独立を手にしたオランダは、最先端の造船技術で国際社会の舞台に踊り出る。その後イギリス、フランスが追い上げる形で世界の覇権は移り変わっていくのだ。

ハプスブルク家の興亡

西ヨーロッパに君臨した王家の系譜

約８・４万平方キロメートルという国土だけを見ればオーストリアはヨーロッパの小国だが、そこには約６５０年間にわたって君臨したハプスブルク家の遺産であるシェーンブルン宮殿が現存する。

ハプスブルク家は、もともとスイスを流れるライン川上流に領地を所有していた小さな伯爵家だった。そんな一家が歴史の舞台に踊り出たのは13世紀で、ロドルフ４世が神聖ロ

◆絶頂期のハプスブルク家の領土地図

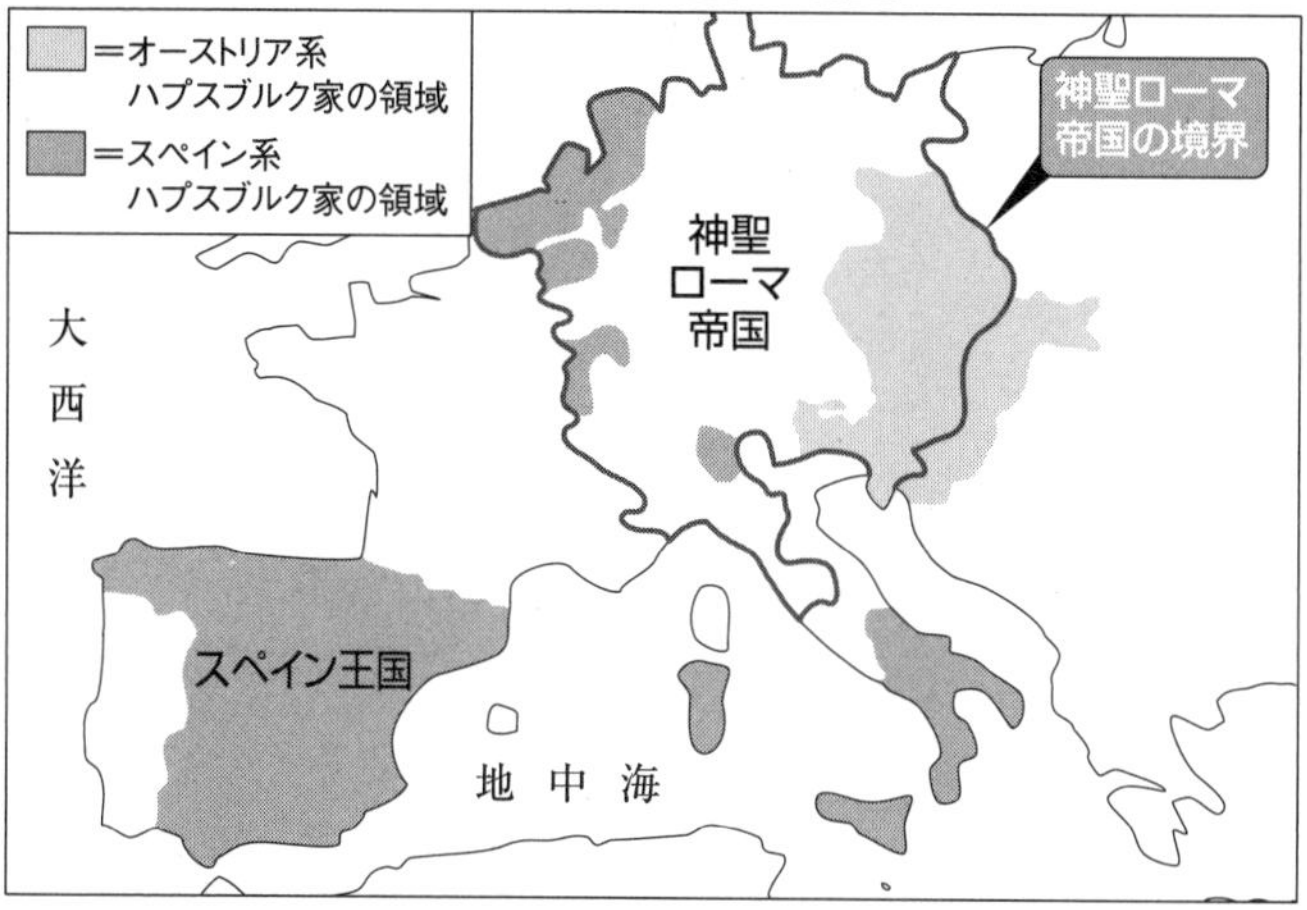

ーマ帝国の皇帝になった時である。神聖ローマ帝国は、フランク王国がその慣わしによって領土を遺産分割した際に生まれた東フランク王国がその原型となっている。

東ローマ帝国に対抗する西ローマ帝国の復活を望んでいた教皇が、かつてその流れを汲む国としてフランク王国のカール大帝に戴冠した「ローマ皇帝の冠」を東フランク王国のオットー1世の頭上に載せ、962年神聖ローマ帝国が誕生した。

東フランク王国は、いわばローマ教皇に選ばれた国だったのだ。

だが、オットー1世の死後、皇帝と教皇の間に確執が生まれ、1256年から17年間、皇帝不在の「大空位時代」が続く。そんな空白の時を経て誕生したのが、ハプスブルク家から送り出されたロドルフ4世（皇帝名ロドルフ1世）だ。

さらに、それまで諸侯の中から選ばれていた神聖ローマ帝国の帝位を世襲化し、ハプスブルク家の手腕で帝国の領土を拡大していく。ハプスブルク家の領土獲得策が他と大きく異なっていたのは、戦いではなく政略結婚によってその領域を拡大していくところにあった。

1508年にマクシミリアン1世が皇帝に就くと、政略結婚による領土拡張が本格化する。マクシミリアン1世の孫にあたるカール5世の時代にネーデルラント、ナポリ王国、そしてすでに中南米を植民地化していたスペイン王国とも姻戚関係を結んで王位を継承したハプスブルク家は、まさに世界に君臨する王家になったのである。

その後、領土はカール5世とその弟のフェルディナントによって、スペイン系ハプスブルク家とオーストリア系ハプスブルク家に分割して継承されていく。

両家は分割後も領土を拡大し、特にスペイン系ハプスブルク家は「レパント沖の海戦」でオスマン帝国を破り、地中海の制海権をも手中に収めるほど発展した。

だが、16世紀中頃にルターによる宗教改革が始まると、スペイン系ハプスブルク家によってカトリック化政策がとられていたネーデルラントで新教徒（プロテスタント）の反乱が起こる。

また、１５８８年にスペイン軍の無敵艦隊がイギリスに敗れて海上権を失うと、「太陽の沈まぬ国と」いわれたスペインの輝きはしだいに失われていくことになる。

一方、神聖ローマ帝国の皇帝の座に就いていたオーストリア系ハプスブルク家も新教徒の反乱に遭い、そこから始まる三十年戦争を皮切りにオーストリア継承戦争でも周辺国の打撃に遭う。

さらにはナポレオンの登場により神聖ローマ帝国という国さえ失い、第一次世界大戦の終結と時を同じくしてヨーロッパからその名を消滅させたのである。

三十年戦争

危機を乗り越えて誕生した新しい国家の「枠組み」

17世紀に入ると、ヨーロッパでは列強国間の戦争が相次ぎ、各国の国境線は次々に塗り替えられていくことになる。そのきっかけとなったのが、16世紀中頃、ルターが「95カ条の論題」を掲げて始まった宗教改革だ。

カトリック教会は、その財源を確保するために信者の死後の救済を約束するものとして免罪符を販売していたが、それが15世紀末になって大量に発行されるようになると、ルターは教会による単なる金集めの手段だとして批判したのだ。

その後、ルターらはカトリックに対抗する新しいキリスト教宗派（プロテスタント）を生み出す。

自らの正当性を主張する両者の対立は激化し、血なまぐさい宗教戦争となって、やがてヨーロッパ各地に広がっていった。

全ヨーロッパを巻き込んだ大戦「三十年戦争」は１６１８年からの30年間、神聖ローマ帝国を舞台に繰り広げられた。

この戦いは、始まった当初こそキリスト教の旧宗派であるカトリックと新宗派のプロテスタントによる戦いだったが、争いが長引くにつれてそれはヨーロッパにおける権力闘争へと様相を変えていく。

ローマ教皇の戴冠を受け、神聖ローマ帝国の皇帝を世襲してきたハプスブルク家は、プ

◆主権国家の集合体となった神聖ローマ帝国

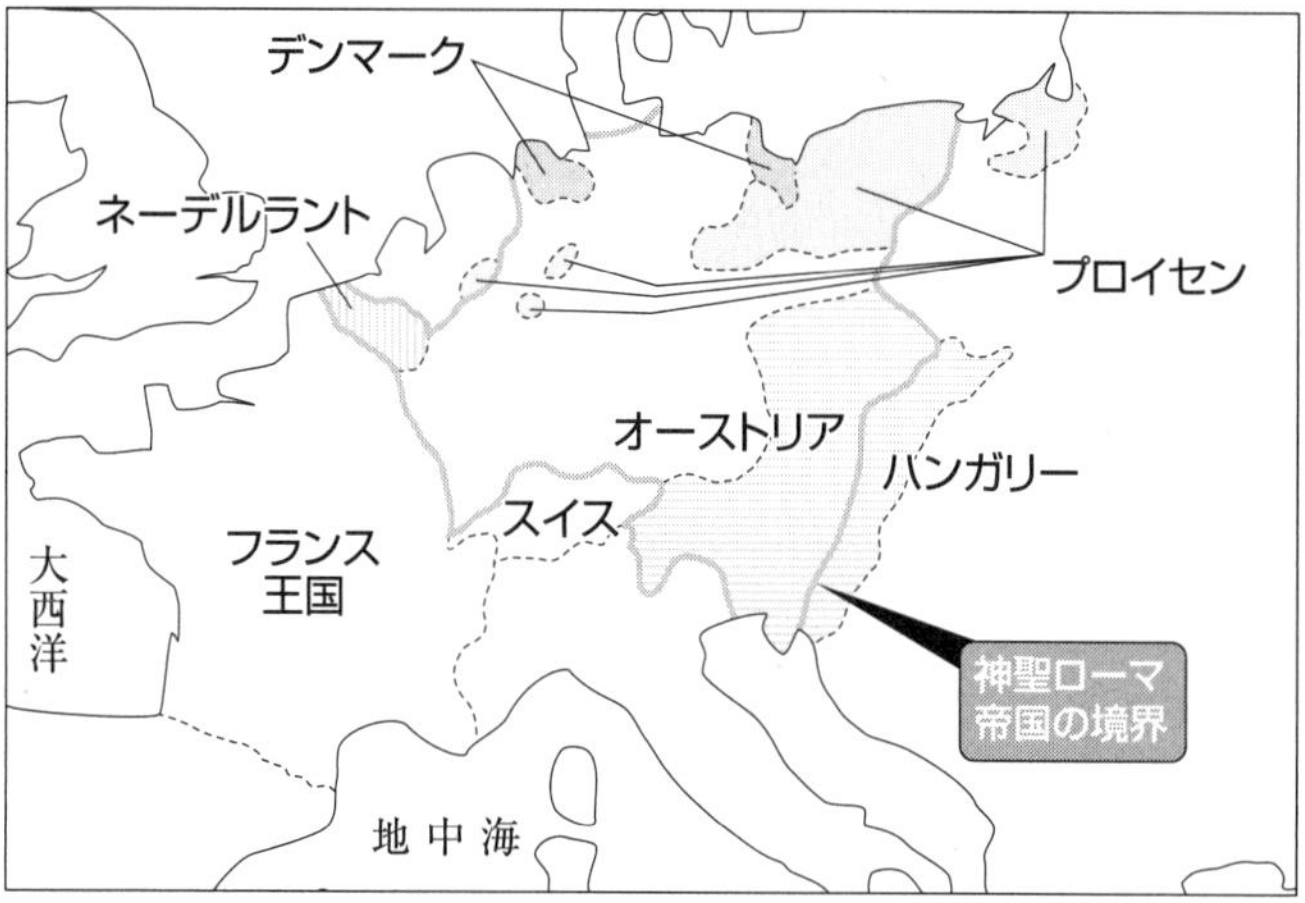

ロテスタントにとっては最大の敵だった。

それに対してデンマーク、スウェーデンといったプロテスタントの列強国が立ち上がったことで国際戦争に発展したのだ。

さらに、反ハプスブルク勢力として、カトリックの国であるフランスのブルボン朝も参加するようになる。

ブルボン朝にとって、ハプスブルク家は宗教上の敵ではなかったが、ヨーロッパの覇権を狙う強大な敵として、その勢力を奪っておきたい相手だったのだ。

そして、三十年戦争終結のための「ウェストファリア会議」（1648年）では、フランスやスウェーデンにハプスブルク家が支配していた領地が分けられ、スイス、オランダの独立が承認された。

神聖ローマ帝国はその名と境界線を保ちながらも、さまざまな領土が組み合わさる主権国家の集合体となったのだ。

さらに、三十年戦争はプロイセンという強大な新勢力をも生み出した。

プロイセンは、もとは神聖ローマ帝国から独立した主権国家のひとつにすぎなかったのだが、幸いにも三十年戦争の激しい戦災から逃れたため、まだ各国が痛手から立ち直っていない戦後間もない時に勢いに乗ることができたのだ。

だが、プロイセンの領土は一塊《ひとかたまり》ではなく、バルト海近くに散らばる形で存在していた。領土をつなぎ合わせるために戦争と侵略を繰り返す必要があったプロイセンは、やがてヨーロッパの軍事大国へと変貌していくのである。

一方、ポルトガル、スペインに始まり、オランダへと移り変わっていた世界の海上覇権は、1652年に始まった「英蘭戦争」に勝利したイギリスに渡すことになる。

広大な植民地帝国を築いたイギリスは、やがて迎える産業革命で「世界の工場」へと上り詰め、圧倒的な影響力を誇るようになるのである。

フランス革命とナポレオン

大陸制覇の道を邁進したナポレオン帝国の全貌

ブルボン朝の第5代皇帝ルイ16世が治めていた18世紀末のフランスは、アメリカ東部で勃発した独立戦争への支援と折りからの凶作が重なり、国家財政はもはや破綻の危機にあった。

そこで、国王は免税特権を持っていた聖職者（第1身分）や貴族（第2身分）への課税を試みたが反対に遭い、それが引き金となって平民（第3身分）の反乱が起こる。１７８９年、フランス革命の幕開けだった。

近隣国のオーストリアやプロイセンは革命が自国に波及することを恐れ、反革命を掲げてフランスへの干渉を始める。

さらに、１７９３年に起きたルイ16世の公開処刑に衝撃を受けたオーストリアやプロイセン、イギリス、ロシアは、イギリスのピット首相の呼びかけに応えて対仏大同盟を結成し、やがて近隣国をも巻き込んだ革命戦争に発展することになる。

そんな混乱を極めたフランス社会に登場したのが、革命軍の指導者ナポレオンだ。革命軍でその能力を高く評価されていたナポレオンは、王党派（聖職者、貴族）が起こした反乱を鎮圧し、政権を奪取する。統領政府を打ち立てると第一統領に就任した。

そして、革命による混乱を収めると、国民の自由を保障する「ナポレオン法典」を公布し、初代皇帝の座に就いたのだ。

皇帝に就任したナポレオンは「ナポレオン1世」と称し、大陸制覇に向けて動き出す。その強大な軍事力でポルトガル、スウェーデン、イギリスを除くヨーロッパのほぼ全域を支配したナポレオンの帝国は絶頂を極めた。

だが、その野望の前に強国イギリスが立ちはだかる。両国は1802年に革命理念や自由平等の精神を大陸に広めるべく「アミアン条約」を結んだが、イギリスは翌年になるとその条約を破棄する。大陸を市場として確保したいというフランスの思惑を察知し、警戒心を抱いたからだ。

両国の対立は「トラファルガー沖の海戦」にまで発展し、敗退を喫したナポレオンは、「大陸封鎖令」を出してイギリスと大陸諸国との通商を禁止した。

◆ナポレオンの支配下に置かれた国

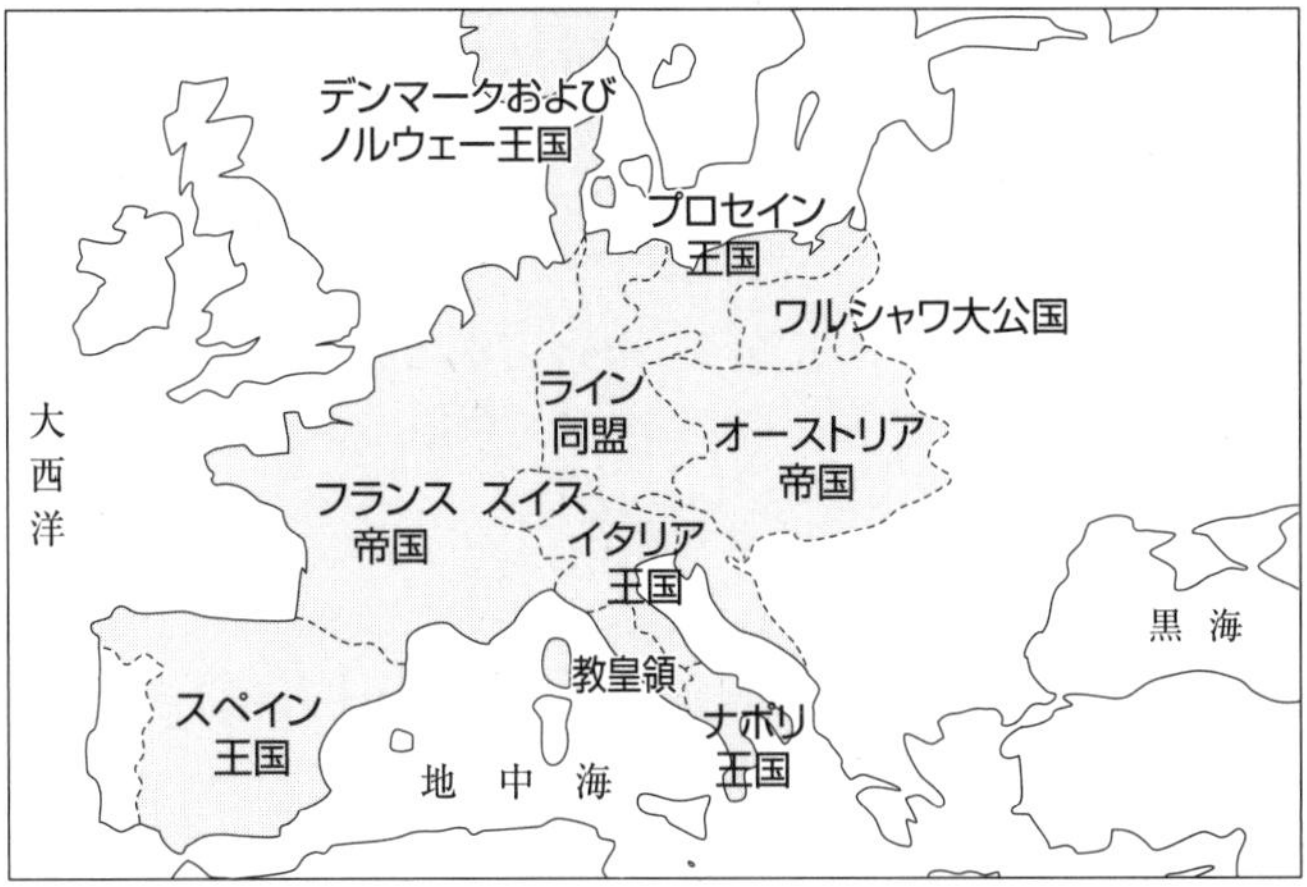

しかし、世界の工場といわれたイギリスとの通商が途絶えた大陸諸国は経済的な混乱に陥り、次々とフランスから離反する。これによってナポレオン帝国は一瞬にして崩壊することになる。

１８１４年、ナポレオンが失脚した後のフランスは、ルイ18世が皇帝に即位したことで王政が復活。フランス革命とナポレオン戦争による混乱を収拾すべく、ヨーロッパ諸国の代表が集まってウィーン会議が行われ、スペインには旧王朝が復活した。

フランスでも革命前の政治秩序を正統と見なす正統主義が原則とされるなど、ナポレオン以前の体制に逆戻りするかに思われた。だが、こうした保守派に対して、特権階級などの廃止を求めた自由主義の運動がヨーロッパ各地で起こり始める。

それは、同時期にイギリスの植民地支配を退けたアメリカ合衆国の独立と重なって、民族の独立意識を高めていくことになるのである。

帝国主義の時代

アジア、アフリカを植民地化したヨーロッパの列強国

15世紀末、東方の富を求めて大航海時代が幕を開けると、列強国がこぞって世界中に乗り出した。

やがて、17世紀に入るとイギリスやフランスは植民地争奪戦を繰り広げながら、北米やインドにその領土と市場を拡大していく。

こうした海外進出を支えたのが、イギリスの産業革命に始まった欧米諸国の工業化で得た資金だった。

1776年にイギリスから独立したアメリカも工業化に乗り出すと、経済発展の波は世

◆帝国主義国に分割されたアフリカ・アジア諸国

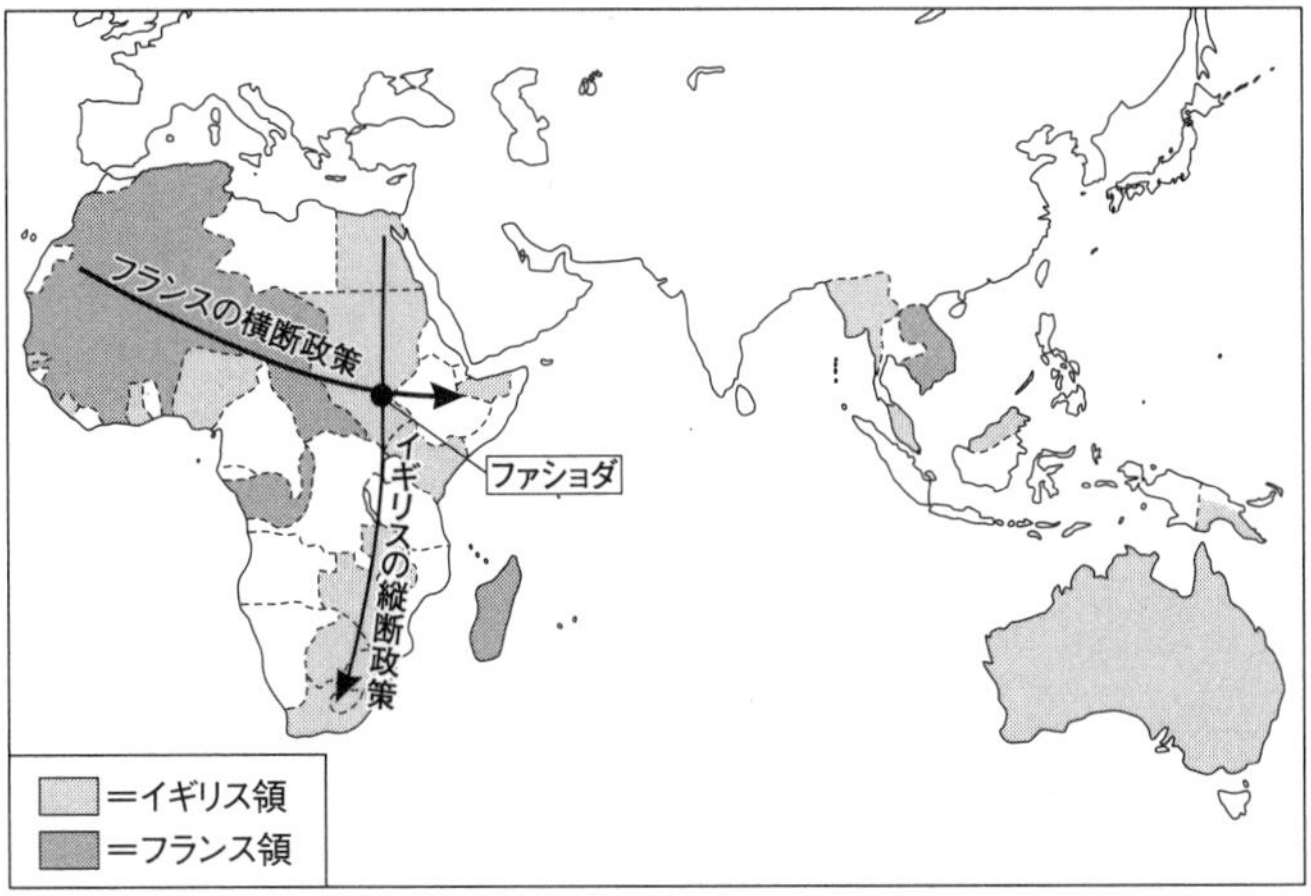

界中に押し寄せた。

だが、１８７３年に起きた大恐慌によって急速に経済は冷え込んでいく。

ドイツやアメリカは企業の吸収や合併によって資本の独占化を進めて不況に立ち向かったが、それに乗り遅れたイギリスやフランスは植民地の重要性を見直し、世界に勢力圏を確保する策に出た。軍部を拡大して、再びアフリカやアジアに乗り出したのである。

イギリスやフランスがめざしたアフリカ大陸は、沿岸地域こそ大航海時代に植民地化されていたが、内陸部はまだまだ未知なる領域であった。

そこに19世紀半ばから探検家や宣教師が

入って本国に情報をもたらすようになると、工業資源にあふれたアフリカ大陸はヨーロッパ各国の垂涎の的になる。

1883年、先手を打って「コンゴを領有した」とベルギーが宣言すると、各国は不満の声を上げ、ドイツの首相ビスマルクの仲介によって「ベルリン会議」が開催されることになった。

ここで決定したのは、アフリカは無主の地であり、先に占領した国がその領土を獲得できるという「先占権」だった。

こうして、アフリカの分割が始まると北のエジプトと南のケープ植民地を結ぶイギリスの「縦断政策」に対して、フランスはサハラ砂漠から東岸を植民地化する「横断政策」を展開する。

両国の狙いが重なり合ったスーダンのファショダで衝突が起きたが、スーダンをイギリス領とする代わりに、モロッコをフランス領とする妥協案で合意するなど、大陸はヨーロッパ人に分割され、所有されることになる。

そして、アジアにもまた列強国の侵略の手が伸びる。フランスがベトナムとカンボジアを支配して仏領インドシナが成立すると、イギリスはビルマとマレー半島、そしてオーストラリアとニュージーランドをその自治領とした。

また、アメリカはフィリピン、グアム、ハワイを米西戦争で獲得し、太平洋海域に広大な勢力圏を確立する。ドイツも東部ニューギニア諸島などを獲得した。

さらに20世紀になると、タイ王国を除いたすべての東南アジアと太平洋海域の国が欧米の帝国主義国によって支配されることになる。だが、こうした帝国主義国の領土争いは、やがて世界の覇権をめぐる対立に発展する。

国同士の対立を避けるため、ドイツ、オーストリア、イタリアは１８８２年に「三国同盟」を結ぶと、１８９１年にはロシアとフランスが「露仏同盟」を結ぶ。そして、その対立は激化の一途をたどり、情勢は世界大戦へと向かっていくのだ。

第一次世界大戦
波乱の20世紀はいかに幕を開けたか

１９１４年、バルカン半島のボスニアの首都サラエボで、オーストリアの皇太子夫妻が殺害されるという衝撃的な事件が起きた「サラエボ事件」である。

当時のバルカン半島は、トルコ革命でオスマン帝国から独立した各国が大セルビア主義、大ギリシャ主義、大ブルガリア主義といった偏狭的な民族主義を掲げて対立していた時期である。

さらに、帝国主義政策を掲げる西欧諸国の利害が絡み合い、〝ヨーロッパの火薬庫〟といわれる緊迫した状態に陥っていたのだ。そんな最中にサラエボ事件が起きてバルカン半島に火がついた。

まず、ドイツの協力を得たオーストリアがセルビアに宣戦する。それに対して、セルビアを支援していたロシアは総動員令を出して対抗に乗り出した。

さらに、ドイツは敵対していたフランスとロシアにも宣戦し、フランスをめざして中立国のベルギーに入るのだ。だが、それを中立国への侵犯であるとしてイギリスがドイツに宣戦し、各国が戦渦に巻き込まれていくことになる。

こうして、ドイツ・オーストリアの「同盟国」対イギリス・フランス・ロシアの「連合国」の戦いは、アメリカやアジア、アフリカ諸国をも呑みこんだ第一次世界大戦へと発展していくのである。そして、戦争末期にはロシアとドイツで革命が起こる。

◆ヴェルサイユ体制で引かれた国境線

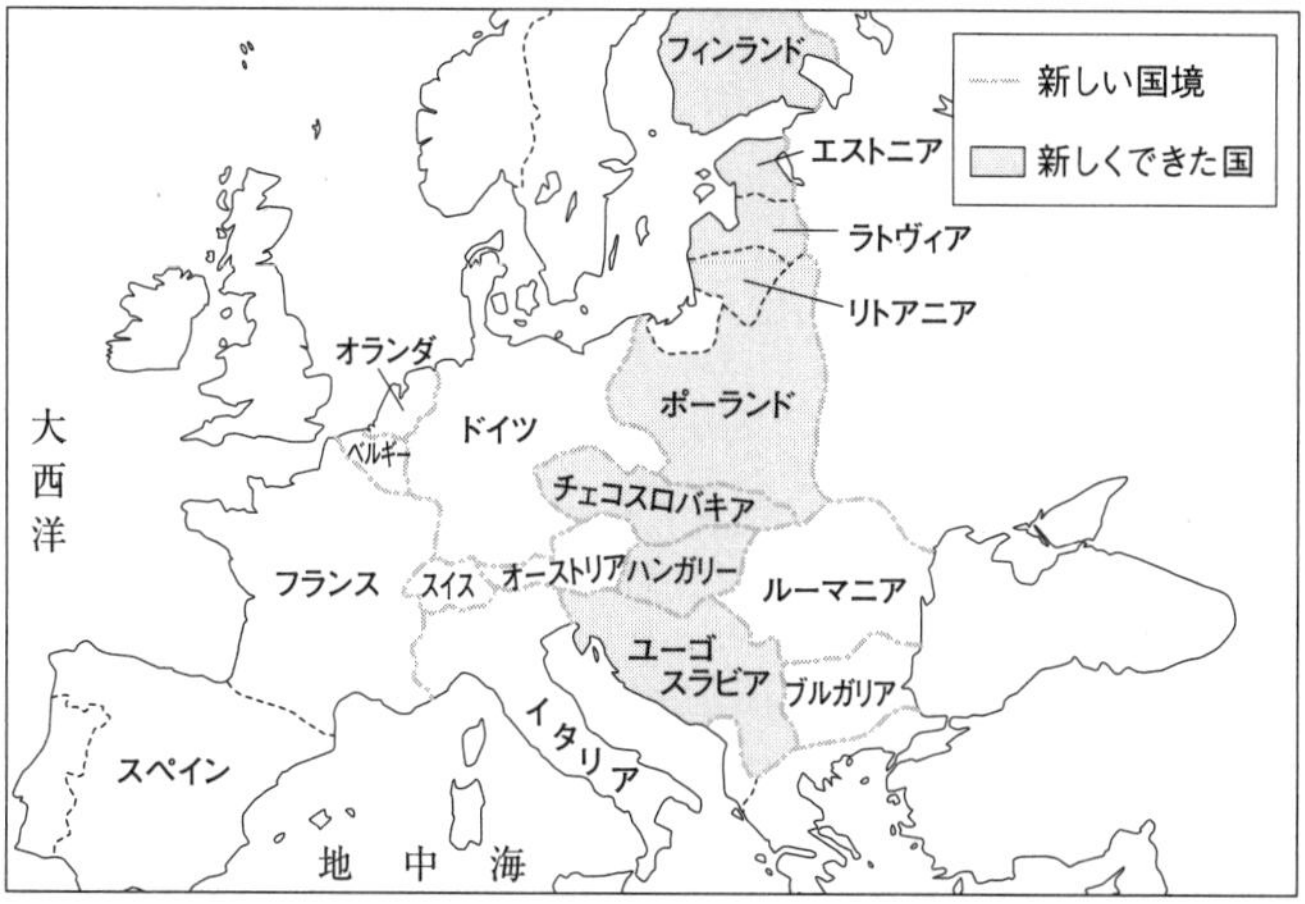

１９１７年、ロシアでパンと平和を求めた労働者や兵士がゼネストを起こして評議会（ソビエト）を結成し、国会では臨時政府によりロマノフ王朝の皇帝ニコライ2世が退位を迫られるのだ。

こうして、ロシア帝国は約３００年に及ぶ歴史を閉じ、混乱の最中、ソビエト政府が樹立する。

さらに、１９１８年11月には「ドイツ革命」が起こり、ドイツと連合軍の間に休戦条約が結ばれる。

これによって第一次世界大戦は終結し、翌年「パリ講和会議」が開かれた。

だが、講和会議といっても敗戦国のドイツとオーストリアは招待されず、ソビエトの姿もない戦勝国同士の集会というべきものだった。

この会議でイギリス、フランス、アメリカはドイツの再興を防ぐとともに、社会主義国となったソビエトをヨーロッパから封じ込める思惑もあって、敗戦国の旧領土の国々を次々と独立させた。

これにより誕生したのが、ハンガリーやポーランド、チェコスロバキアなどの8カ国だった。これらの国々は「東欧」と呼ばれ、連合国が並び立つ西側諸国とソ連を隔てる壁になったのである。

また、会議では史上初の国際平和維持機構である「国際連盟」が成立する。だが実情は、戦勝国が互いの利益を主張することに終始するだけの組織だった。

なかでもフランスは、ドイツの勢力を弱体化させるために領土の縮小、植民地の放棄、徴兵制の廃止、多額の賠償金の請求といった講和条件を出し、1919年に「ヴェルサイユ条約」を結ぶ。

だが、こうしたドイツへの過酷な負担が極端な国家主義を誕生させてしまう。それはナチスの政権掌握、そして第二次世界大戦へとつながっていくのである。

第二次世界大戦
連合国VS枢軸国、死力を尽くした世紀の大戦

第一次世界大戦が終結し、１９２５年にはドイツを含む西欧７カ国がヨーロッパの集団安全保障体制に合意する「ロカルノ条約」を結び、国際協調の機運が熟してきたかに見えた。

だが、その平和も１９２９年、ニューヨーク株式市場の相場が大暴落することによって一気に覆されることになる。

この危機を回避するため、アメリカが海外に投下していた資本の引き上げを始めると、ヨーロッパ各国とその植民地にも波及する世界大恐慌に発展したのだ。

特に第一次世界大戦の敗退から完全には立ち直っていなかったドイツ経済は絶望の淵に立たされ、まさにそのタイミングで台頭してきたのが「大ドイツ主義」を掲げたナチ党だったのだ。

総統に就任したヒトラーは一党独裁体制を確立し、ヴェルサイユ条約を破棄して国際秩序を混乱に陥れる。さらに、強硬な侵略などによって国際的に孤立していたイタリアのファシスト政権や日本との距離を縮め、1936年にベルリン＝ローマ枢軸を結成。1937年には「日独伊三国防共協定」を結んだのだ。

ドイツ、イタリアの2カ国を枢軸国と呼んだのは、イタリアの独裁者ムッソリーニだった。ベルリンとローマを直線で結ぶと、南北に伸びる直線は地中海から北海までを突き抜ける。この線を枢軸として国際関係が動く、と演説したのだ。

1938年になるとドイツはオーストリアを併合し、その領土とイタリアを合わせるとヨーロッパは完全に分裂した。

西はイギリスとフランス、そして東は東欧諸国とソ連——。枢軸国がヨーロッパを東西に分ける境界線を引いたのだ。さらに、翌1939年になるとドイツはチェコスロバキアを解体して西半分を併合し、東半分を保護領とした。

だが、その先に待ち受けているのは大国ソ連である。西側との戦いに専念すべく、ドイツはソ連と独ソ不可侵条約を結ぶ策に出た。

世界中を驚かせたこの条約締結後、ドイツはポーランドに侵攻する。ついにフランスと

◆1942年に最大となった枢軸国の占領地

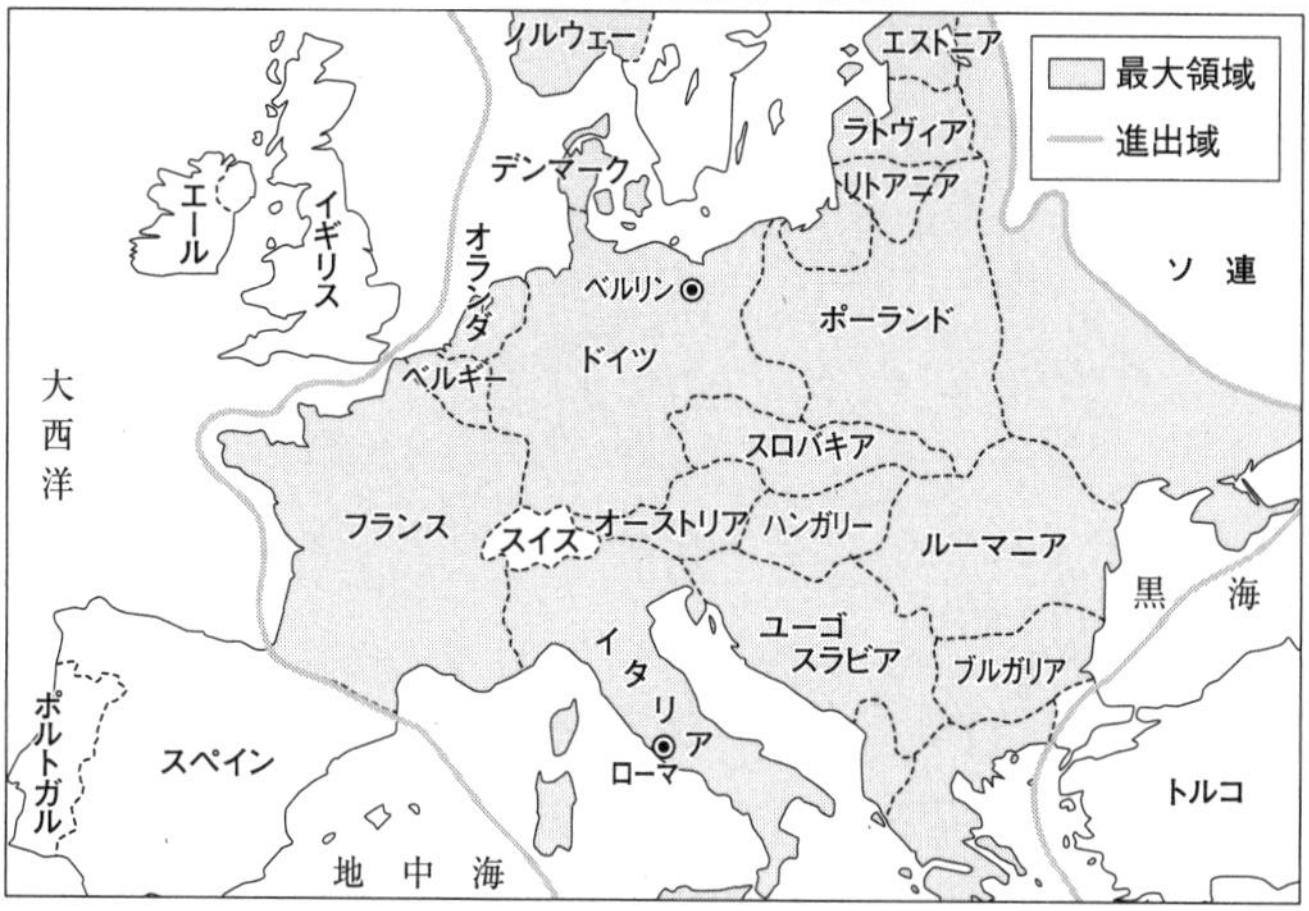

イギリスがドイツに宣戦し、第二次世界大戦が勃発したのだ。

戦局は枢軸国優位に展開した。１９４０年、ドイツ軍はデンマークやオランダに侵攻し、続いてフランスを占領する。

しかし、翌１９４１年、ドイツは不可侵条約を結んでいたにもかかわらずソ連に侵攻し、敗退したことで情勢は変化を見せはじめるようになった。ソ連が英米を中心とする連合国との関係を深めるようになったのだ。

１９４２年になると同盟国である日本軍がミッドウェー海戦に敗れ、ムッソリーニが失脚したイタリアは連合軍に無条件降伏する。

西側からはアメリカとイギリス、東側からはソ連に攻撃されて行き場をなくしたドイツは、1945年にソ連軍にベルリンを占拠され、無条件降伏する。こうしてようやく戦火は鎮まったのである。

敗戦後ドイツは4分割され、連合国の管理下に置かれる。その後1949年に独立するものの、それは東西ドイツに分裂した国家であり、「冷戦」を象徴する国家の誕生だった。

東西冷戦
超大国を中心に二つの陣営に世界は分かれた

第二次世界大戦が終結すると、敗戦国となったドイツや日本には戦勝国による制裁が待っていた。

まず戦争指導者が国際軍事裁判で裁かれ、その国土は連合国の支配下に置かれた。さらにドイツは国土が4分割され、イギリス、フランス、アメリカ、ソ連に管理されることになる。

第一次大戦以降、世界経済の中心となっていたアメリカは第二次大戦以後も工業力を発

◆第二次世界大戦後の国境

展させ、国際社会にあって圧倒的な地位を占めるまでになった。

一方、世界で最初の社会主義国家となったソ連は、社会主義の優位性を説き、資本主義国アメリカに真っ向から対立した。「冷戦の時代」が始まったのだ。

その影響を多大に受けたのはやはりドイツだった。ドイツは１９４９年に独立するが、アメリカ、イギリス、フランスに管理されていた地域は資本主義国・西ドイツとして、ソ連の管理下にあった地域は社会主義国・東ドイツとして分離独立することになる。

そして、ソ連が東欧諸国をもその勢力圏に組み込むと、アメリカは社会主義勢力がさらに拡大するのを阻止するために、共産圏を国際的に孤立させる「封じ込め政策」をとった。

一方、社会主義陣営も次々と対抗策をとったため、西側と東側の対立は深まり、ヨーロッパ大陸には目には見えない「鉄のカーテン」が下された。西側の資本主義国家、東側の社会主義国家という2つの世界に分断されてしまったのだ。

さらに、米ソの対立はアジアにも影響を及ぼす。朝鮮半島は日本の支配から解放されると、北緯38度線を境に分断され、北はソ連、南はアメリカの管理下に置かれた。

また、仏領インドシナは独立戦争によってベトナム民主共和国とベトナム国に分かれるが、この2国もまたそれぞれアメリカとソ連の支援を受けて対立した。

だが、こうした米ソの冷戦もソ連の独裁者スターリンの死で新たな局面を迎える。１９５６年、共産党大会でフルシチョフ第一書記がスターリンを批判するとともに、平和共存路線を打ち出したのだ。

また、１９６３年には米・英・ソの３国間で「部分的核実験停止条約」が締結され、冷戦は氷解の兆しを見せ始めた。ソ連でペレストロイカ（立て直し）が始まる80年代後半まで、東西を分かつ鉄のカーテンは閉じられたまま激動の時代の幕開けを待つことになるのだ。

アジア・アフリカ諸国の独立
同じ時期に独立が相次いだ理由

東西の冷戦が「雪解け」の様相を見せ始めた１９５５年、インドネシアの都市バンドンにアジア・アフリカ諸国から29カ国が参加して会議が開かれた。

参加した国は、いずれも戦後ヨーロッパ諸国や日本などから独立した旧植民地国で、この会議は欧米諸国が参加しない初めての国際会議だったのである。

この「バンドン会議」では「世界平和と協力の増進に関する宣言」として、国家主権の尊重、内政不干渉、政治的独立への侵略や力の行使を行わないなどの内容を盛り込んだ「バンドン10原則」が採択された。

一方、列強の政策に翻弄されていたアジア各国では、大戦中から民族解放の動きが高まる。ヨーロッパ各国が大戦によって国力を弱め、日本もまた敗戦によって植民地から撤退すると次々に独立を宣言し、戦後の国際社会の二大勢力となった米ソのどちらにも属さない「第三勢力」をめざしたのだ。

だが、その道は険しかった。独立後、ラオスやカンボジアでは軍事クーデターや内戦が勃発し、ベトナムは独立宣言したもののフランスに拒否され、独立戦争が始まる。南北に2つの国が分離独立し、これが「ベトナム戦争」へと発展するのだ。

また、インドは大戦中からイギリスに即時独立を要求しており、インド国内のインドムスリムはさらにイスラム国家パキスタンの建国を主張していた。

1947年にはイギリス連邦内の自治領としてインドとパキスタンが独立することが承認されたが、ヒンドゥー教徒とイスラム教徒の抗争は激しさを増し、「非暴力」による独立を指導していたマハトマ・ガンジーが暗殺される事態に陥ることになる。

◆民族解放運動によって独立したアフリカ・アジアの国

だが、こうした民族解放の動きは止まることなく、１９６０年にはアフリカ諸国が次々と独立する。この年は「アフリカの年」といわれた。

しかし、長年にわたって他国の支配下にあった国々には、その旧体制や経済構造が依然として残っていた。白人少数派が政権を握った南アフリカや南ローデシアでは、非白人への人種隔離政策（アパルトヘイト）が法制化されるなど、各国は多くの問題を抱えたまま歩み出した。

そして、それらの国々の独立は国境問題、民族問題、宗教的対立といった火種を燻らせ、新たな紛争へと発展していくのである。

21世紀の世界
民族対立、宗教対立…世界に蒔かれた数々の「火種」

１９８９年11月、東西ドイツを分断していた冷戦時代の象徴である「ベルリンの壁」が崩壊した。

そして、翌年には東ドイツが西ドイツに吸収される形で統一が成立し、戦後40年にわたるドイツの一時代が終わる。ベルリンの壁の崩壊は、東欧諸国のソ連離れを象徴するものだった。

1956年、「反独裁・反ソ連」を掲げて大きく盛り上がった民衆運動がソ連軍によって鎮圧されるという「ハンガリー事件」が起こる。それ以降、東欧諸国ではソ連による締めつけが強化され、経済は低迷し、国民の不満は日に日に高まっていた。

そんな折、ソ連共産党の書記長にゴルバチョフが就任し、逼迫したソ連経済を軌道修正すべく「ペレストロイカ」に乗り出した。企業の自主権の拡大や個人営業の自由を認め、官僚による統制を改めるといった政策を打ち出したのだ。

さらに、西側諸国との相互依存を重視する外交政策を打ち出すと、東欧諸国で革命が巻き起こり、各国は一気に社会主義から離脱した。

そして、1991年には東側諸国で結成されていた相互安全保障機構「ワルシャワ条約機構」が解体する。東欧の社会主義国は完全になくなり、民族意識が高まったバルト3国やグルジアなどが次々に独立へと動き始めると、社会主義国の盟主であったソ連も崩壊の時を迎える。ベルリンの壁の崩壊からわずか2年という早さだった。

社会主義というイデオロギーのもと、さまざまな民族がひとつの国を形成していたソ連が崩壊すると、長きにわたってソ連に組み込まれてきた国々は自由を得るかに見えたが、そこには民族対立という新たな問題が待ち受けていた。

特に、スターリンの強制移住政策によってチェチェン人やイングーシ人などの少数民族が送り込まれた中央アジアでは民族紛争が激化し、中央アジアのイスラム原理主義の存在も紛争の誘発剤となっている。

また、さまざまな民族と宗教が入り混じっていたユーゴスラビアの独立も民族紛争に火をつけた。特に、イスラム教徒、セルビア人、クロアチア人が対立したボスニア＝ヘルツェゴビナの内戦は激しく、国連やＥＵが調停に乗り出すも、３年半にわたって続いた紛争で首都サラエボは廃墟と化した。

アメリカとソ連を中心とした冷戦の時代は幕を下ろしたものの、民族や宗教をめぐる争いを抱えながら世界は21世紀を迎えたのだ。

そして、21世紀を迎えたばかりの２００１年９月11日、航空機が超高層ビルに激突する衝撃的な映像が世界を駆け巡った。「アメリカ同時多発テロ」である。

この攻撃に対して当時のアメリカのブッシュ大統領は「テロとの戦い」を宣言し、同時

◆20世紀後半以降の主な民族紛争地域

多発テロの首謀者とされたアルカイーダの引き渡しに応じなかったアフガニスタンのタリバン政権に報復攻撃を仕掛ける。

さらに、大量破壊兵器を隠し持つ「テロ国家」であるとしてイラクに軍事介入し、フセイン政権を倒して新政権の樹立にこぎつけたものの、中東の治安は悪化の一途をたどる。

一方で、チュニジアやエジプト、リビアなどのアラブ諸国では長期の独裁で腐敗した政権に対して民主化を求めるデモ「アラブの春」が起こり、政権が倒されていった。

デモは中東のシリアにも飛び火する。だが、アサド政府軍と反政府軍との戦闘に発展し、そこにテロ組織「ＩＳ」やクルド人勢力などが参戦して大混乱に陥る。さらに、アメリカを中心とする多国籍軍やロシア軍が介入し、シリアにおける戦闘は収拾のめどすら立っていない。

そんな中東と欧米の混乱をよそに、南シナ海では中国の実効支配が加速している。東南アジア各国との領有権問題により、南シナ海は「対立の海」と呼ばれるようになった。

特集1

遺された「痕跡」から世界史の謎を楽しむ方法

イースター島「モアイ像」の謎はいまどこまで解けたか

■カヌーに乗ってイースター島へ

南米チリから西に約3000キロ離れた太平洋上に浮かぶ島イースター島。周囲約63キロメートルほどのこの島はまさに絶海の孤島ともいえる。そしてこの島は、今もって解けない数々の謎が残されていることでも有名である。

島民はこの島を「ラパ・ヌイ」（大きな島）または「テ・ピト・オ・テ・ヘヌア」（世界の臍《へそ》）と呼んでいる。イースター島という名の由来は、この島がオランダ人のヤコブ・ロックフェーンによって初めて発見された日がちょうどキリスト教のイースター（復活祭）の日であったことにちなんだものだ。

イースター島のある南太平洋東部は地質学的にいうとナスカ・プレートの上にあり、地震が多発する不安定な地盤となっている。この島も3つの海底火山が噴出した溶岩が合体してできたと考えられており、そのため島の大部分が玄武岩で覆われ、樹木などは育ちにくい土壌でもある。

だが、そんな不毛な島にはるか昔、移り住んできた人々がいた。

現島民の祖先は古代ポリネシア人とされているが、彼らは考古学者や言語学者の研究によればそのルーツはアジア圏の台湾であり、それからフィリピンに渡り、何と4万年以上前にニューギニアやオーストラリアに移動したと推測されている。

その後もソロモン諸島には2万8000年以上前に移動し、さらにニュージーランドやフィジー、タヒチを経てイースター島にたどり着いたのは西暦300〜400年頃だという。

では、彼らはどんな移動手段で太平洋を横断してきたのだろうか。それはずばり、大型カヌーを使ってやってきたのだ。

1960年代に考古学者ベン・フィニーにより古代ポリネシア人が使っていたと思われるカヌーを復元する実験が行われている。このカヌーはハワイの大型カヌー（全長約20メートル）を基本として太平洋各地のカヌーの長所を取り入れて作られた双胴式のもので、みごとにハワイ、タヒチ間の往復に成功。その後も土着の航海術のみで太平洋一周も試みられ、これもみごとに成功しているのだ。

はるか昔であっても、双胴式大型カヌーを使えば食糧もかなりの量を運搬でき、長期にわたる航海もけっして不可能ではなかったというわけだ。

■モアイ像の制作にかかわる大きな謎

イースター島といえば海岸沿いにそびえ立つモアイ石像を思い起こす人が多い

だろう。全部で883体あるモアイ像はいったい何を意味しているのか。機械技術を知らなかった島民がどのようにしてこれほど大きな石像を運び、設置することができたのか。それらの疑問に対する明確な答えは今もって謎のままなのだ。

モアイ像が作られるようになったのは11世紀頃からで、その後15世紀頃まで続いていたといわれるが、モアイのデザインは大別すると4つの体型になる。

一番大きいもので高さ20・6メートルもあり、もっとも小さいものでも約4メートルである。モアイの素材である石は島の東側にある火山ラノ・ラノクから切り出されたもので、火山礫《れき》と凝灰岩からできている。

そのラノ・ラノクの中腹には石切り場があり、そこにはまだ背中が岩盤についたままの製作途中のモアイが390体も発見されているのだ。モアイは石斧で削られて姿形を整えられたと思われるが、問題はその運搬方法である。

岩盤から切り離した小型のモアイでも10トンクラス、大きいもので300トン近くある。それをどうやって海岸線まで運搬したのだろうか。これに関しては人力で運んだという意見が多いが、最も現実味がある方法は「カヌー運搬説」だ。

これはカヌーの形に似た大型そりを作り、それにモアイを乗せて運搬したというものである。モアイを乗せたカヌー型そりを約40人くらいで引っ張って移動させ、直立させる際にはまた20人ほどが加わっていたのではないかと推定されている。

しかし、問題は引っ張るときに使うロープだ。なぜなら、当時のイースター島にはロープの材料となるような強い繊維をもつ巨木がなかったと考えられる。現在はユーカリの木などの巨木が自生しているが、これらは18世紀にヨーロッパからの入植者がもち込んだものなのだ。

当時からあるロープになりえる素材というと葦くらいしかなく、葦で作ったロープでは数百トンもあるモアイを引くことはかなり難しい。

このように昔の島民がどのようにして巨大なモアイを運搬したのかについてはいまだに疑問が多く残っており、明確な答えは出ていないのである。

■手がかりは、古代文字「ロンゴロンゴ」

モアイ像が海の方向を向いて立っていると思っている人が多いが、じつはモアイは海に背を向けて立っている。人間なら誰でも海に近づけば海の方を向くだろうが、モアイの場合は逆であり、なぜなのかその理由がわかっていないのだ。

それはともかく、モアイの存在自体はいったい何を意味しているのか。モアイとは古代ポリネシア人の信じる「マナ」という聖なる力が宿る像であるなど、その意味についてもさまざまな説が唱えられているが正確なところは不明なのだ。

そこで唯一手がかりとなるのが、イースター島に伝わる古代文字「ロンゴロンゴ」である。ロンゴロンゴとは「詠唱」または「朗唱」という意味とされているが、1860年代にヨーロッパ人により卵形の木簡「ママリの銘板」が発見され、そこに刻まれていた絵文字のような文字のことだ。

ロンゴロンゴはもともとイースター島の神官が通常用いていた文字だったが、1862年にペルーの海賊が上陸し、島の神官が殺されてしまうという悲劇に見舞われて以来、島には解読できる人がいなくなってしまったのである。

ただ島に伝わる伝承によると、このママリの銘板はイースター島に最初に移り住んだ島民の始祖である伝説の王ホツ・マツアがポリネシアから移住してきた際にもってきたもので、全部で67枚あるとされている。そしてそこに書かれている内容は、主に彼らの創世神話であるといわれる。

全部で67の銘板のうち現在は25枚が見つかっており、それらはホノルルやサンチャゴまたはヨーロッパなど世界各国に散在している。残念なことにイースター島には1枚も残っていない。

このロンゴロンゴの解読にあたっては世界中の言語学者たちにより研究されているが、その成果によってロンゴロンゴには太陰暦について説明がされており、そのほかにも一種の創世神話のようなものが書かれていることまではわかっている。

しかし、内容的には完全に解読されているわけではなく、神官が儀式のときに読み上げるような宗教的意味の詞などが多く含まれているということくらいしかわかっていないのだ。

もしかしたらモアイについての説明も、いまだに発見されていない銘板のなかに克明に記されているかもしれないという期待は残るが、残念ながら銘板の素材が木でできていることから、もうすでに腐敗しており現存している可能性が少ないとの見方も多い。

イースター島にまつわる謎は多いが、その謎を解明できるのはいつになるのか、それともこのまま永遠の謎として残るのだろうか、今のところまったく見当がつかないのが現状だ。

現代の技術でも運搬できない？バールベックの巨石の謎

■巨大神殿建設の最初の「きっかけ」

中東の国レバノン、その首都ベイルー

トから東にあるバールベックという都市には目を見張るような巨大神殿の遺跡がそびえ立っている。

この神殿は「ジュピター神殿」と呼ばれ、初代ローマの皇帝カエサルがエジプト遠征をした際に巨大なピラミッドを見て感銘を受けて、自らが支配するローマ帝国にも巨大な宗教施設を造りたいと思い立ったのが建設のきっかけといわれる。

ジュピター神殿は、紀元前1世紀～4世紀にかけてカエサル以降の皇帝たちによって造営されたものだという。この神殿の特徴は総面積56万平方キロメートルという広さにもかかわらず、高台の上に建設されていることだ。神殿の最奥部にある「基壇石」と呼ばれる場所はその高台より8メートルも高い。

じつはこの基壇部を造ったのはローマ人ではなく、古代セム族であると考えられている。セム族は旧約新書に出てくる「ノアの箱舟」のノアの子セムの名前に由来するもので、古代セム族とはその末裔を指す。そして、この古代遺跡は古くはセム族が信仰していたバール神の神殿であり、バールベックという地名もこの神の名が由来しているのだ。

バール神は自然の生産力を司る神であることから、ローマでは同じ力をもつジュピター神を祀るようになったのである。

それはともかく、当時の人々がこのジ

ュピター神殿のスケールの大きさに圧倒されたことは想像できる。なぜなら高さ22メートル、直径2・2メートルもある円柱54本（現存しているのは6本）により支えられていた巨大な神殿だったからだ。

■ジュピター神殿の建設と巨人族

ジュピター神殿の城壁の素材となっているのは石灰岩だが、なかでも目を引くのは城壁に使用されているトリリトンという丸い球形の石が入り組んでいる壁である。

この石壁はほとんど長さが約20メートル、幅も約4メートルある長方形に切られたものであり、それらの重量は優に600トンを越えるものばかりだ。しかもこれらの石壁は、寸分の隙間もなく接合されて積み重ねられている。

石壁が切り出された場所は、この神殿から南西に1キロほど離れた場所にある石切り場だが、そこには今でも巨大な石のブロックを切り出す作業が途中で放置されたままの姿で残っている。

その石は「南方の石」と呼ばれ、大きさは長さが21・4メートル、幅が4・6メートル、高さが4・3メートルあり、そして重量は1100トンを越える巨大なものだ。

この巨大な切り石を古代人はどのよう

にして運搬し、吊り上げて石壁を造ったのだろうか。現在使われている最新技術で作られたクレーンでも700トンまでしか運搬できないといわれている。

計算によると、ひとつの巨大な石壁を運搬するだけでも約1万8000人必要とされているが、問題はその重い石壁を10メートルほど吊り上げなければ神殿は建てられなかったということだ。

とても人力では困難と思えるのだが、一説によればこれら石壁を移動させたのは謎の巨人族だというのである。この地方に伝わる話では伝説の王ニムロデが普通の人の2倍のくらい大きい身体をもつ巨人族に命じて運搬させたというのである。

真相は不明だが、現代人の想像をはるかに越える力によって運搬されたことだけは確かなようだ。

ピラミッド以上に謎の多いスフィンクスの読み方

■スフィンクスの制作年代はいつか

頭は人間でネメス頭巾（王族を示す飾り）、胴体はライオンという奇妙な身体をもつスフィンクスはギリシャ神話にも登場し、オイディプスに対し「はじめ4本足、次いで2本足、やがて3本足になり、地にも空にも海にもこれほど手強いものはいない、これは何だ」と問いかけた怪物としても有名である。

このスフィンクスはエジプトだけでなく、アッシリアの神殿や宮殿、墳墓などでも見ることができることから、エジプト生まれの神獣かどうかも疑わしいものである。

今まで発見されたもののなかで一番大きいものといえばやはりエジプトのギザのスフィンクスである。体長約73メートル、高さ約20メートルもある大きなもので、採掘場だった石灰岩の丘で造られたために何度か砂に埋もれかけたこともあった。

しかし、この大きなスフィンクスがいったい何の目的でいつ頃建造されたものなのかは、今もってはっきりとわかっていないのだ。通説ではこの大スフィンクスは第4王朝（紀元前2575～紀元前2465年頃）に建造されたとされており、これは建造された場所が第4王朝のピラミッド群に近いことが理由になっている。

そして、スフィンクスの顔は第4王朝のカフラー王に模して建造されたというのである。

たしかに前足の間に立っている「夢の碑文」の銘文もカフラー王について記されていると思われる節があるのは事実だが、これも確定的な証拠とはならない。しかも驚くことに、スフィンクスは第4

王朝より少なくとも2500年前には建造されていたという説もあるのだ。なぜなら胴体部分に残る雨水による浸食の跡がそれを如実に物語っているからだ。

この浸食跡は建造された後にできたのは確かだが、これだけ浸食するような大雨が降ったのは紀元前7000～紀元前5000年前と考えられ、これによるとスフィンクスは新石器時代に建造されたことになってしまうのだ。

■内部に「空洞」がある理由

中世ヨーロッパではスフィンクスの地下には秘密の部屋が隠されているという噂が広まっていたという。古代の神官たちが地下の秘密の部屋に隠された叡智《えいち》により神託を受けて頭部に通じる通路を昇り、スフィンクスの口を通じて人々に語っていたというものだ。

20世紀になってもアメリカ最大の霊能力者エドガー・ケイシーがスフィンクスの地下にはアトランティスの叡智が封印されていて、それが20世紀中に再発見されると世界規模の災いが訪れると話したことなど、スフィンクスの内部に関する興味をそそる話題は尽きなかった。

では、スフィンクスの内部には本当に何かが隠されているのだろうか、1977年と1992年の2回、1年間かけて科学的に行われた電気抵抗の調査によると、何とその地下には何らかの空洞があることがわかったのである。

しかし、その後の詳しい調査によると空洞は人工的に造られたようなものではなく、地割れが大きくなったもの、または自然にできた空洞という結果が出ている。

これについては発掘調査されたわけではないので、今のところ未確認というのが実際のところだ。

いずれにしてもこのスフィンクス像についてはエジプト王朝の記録にもその建造に関してほとんど記述がないのが不可思議な点でもあり、やはり何か隠された秘密があるのかもしれない。

いまだ解けざるストーンヘンジのミステリー

■古代の医療施設だった？

イギリス南部のソールズベリー平原にあるストーンヘンジと呼ばれる巨石遺構は、その用途についてはさまざまな憶測が飛び交っている。最近でもストーンヘンジは古代人の医療施設だったのではないか、という新説が飛び出して話題となっている。

イギリスの研究者らの調査によると、遺跡周辺の墓地を調べたところ、重い病気にかかったり何らかの病跡のあると見られる遺体が異常なほど多く発見されたというのだ。歯を調べたところそれらの遺体は近くに住んでいた人々ではないと思われ、まるでルルドの泉に奇跡を求めてやって来るがごとく、ストーンヘンジに癒しを求めて来た人たちが大勢いたのではないかというのだ。

しかし、もしそれが事実であったらストーンヘンジにはどのような癒しの効果があったのだろうか。それについてはいまだ解明されていないのである。

今までにもストーンヘンジについてはいくつかの神秘的な説が唱えられているが、巨大な石には神秘的な力が宿っているという考え方を古代人がもっていたということはあながち否定できないことでもある。

ストーンヘンジから何かの光が照射されている写真も撮られたこともあり、何らかのパワーが出ている可能性もあるからだ。

■完成までの計り知れない道のり

ストーンヘンジは少なくとも紀元前3000〜2800年頃から造り始められたといわれている。その建設期間は3期に分けられ、第1期には長径約110メートルの土手と溝が造られ、その後、紀元前2000年頃に第2期工事、紀元前1500年頃に第3期工事が行われたという。

主に巨石が運ばれて組み立てられたのは第2期と第3期のときだといわれているが、高さ4メートルの立て石が30本、その上には横石が乗せられている。中央には高さ6メートルもあるトリリトンとよばれる立石も同じく横石を上に乗せているのだ。しかも立っている石で重さ平均25トン、上に乗っている横石も平均7トンくらいはあるのだ。

いったいどのような方法で新石器時代の人々はこのような巨石を使った遺跡を造ったのだろうか。

使用されている石の中でもっとも多いものが「ブルーストーン」という石だが、この石は約240キロも離れた西ウェールズから運ばれてきたといわれ、おそらく獣皮張りのコラクルというカヌーのような船で海と川を利用して運んできたのではないかと推測されている。

そのほかにも「サーセン石」という40トンもある重い石も約30キロ離れた山から運ばれてきたが、こちらはひとつの石を縄で引っ張って運ぶだけでも、150人がかりで約2カ月はかかっただろうと推定されているのだ。

また驚くことに、立石の上に乗っている横石にはホゾとホゾ穴があり、それを噛み合わせ、しっかりと固定されているのである。つまり、ストーンヘンジの巨石は綿密に計画を立ててから造られたものなのである。

■祭祀場としての役割を果たす?

ストーンヘンジ建設の理由についてもさまざまな説があるが、そのなかでも信憑性が高いと思えるのは天文台説と祭祀《さいし》場説だろう。

前者の天文台説は1901年、天文学者のノーマン・ロッキャーが初めて提唱し、その後も1963年には同じく天文学者のジェラルド・ホーキンスが科学誌『ネイチャー』に「ストーンヘンジは古代のコンピューターだった」というセンセーショナルな論文を発表している。

ホーキンスはストーンヘンジの外周にある土手に造られた穴(オーブリーホール)が56個あることに注目し、この穴と月の動きとの間に関連性を見出し、ストーンヘンジによって数百年にわたって月の観測をすることができたと提唱したのだ。

一方、考古学者や歴史学者のなかにはストーンヘンジが何らかの宗教的祭祀場だったのではないかと考えている人が多い。

その一方でヨーロッパの先住民であるケルト人のドルイドと呼ばれる神官が築いた神殿だったのではないか、またストーンヘンジには魔女たちが夜な夜な集まり、月の光を浴びながら性崇拝の儀式をした場所だった、などというセンセーショナルな説もある。確かにストーンヘンジの中心部には祭壇石もあることから、何らかの儀式の場だったのは確かであろう。

ただし、それが最近の新説のような古代人の病を癒す儀式をする場所であったかどうかは、今のところ疑問符がつくというのが妥当といえるかもしれない。

巨大都市ティオティワカンにそびえる二つのピラミッド

■ティオティワカンを造った謎の民

メキシコの首都メキシコシティから北西約40キロのところにある「ティオティワカン遺跡」は謎に満ちた場所である。

この遺跡は11世紀前後に、中南米に勢力をもっていた古代アステカ人が築いたものではなく、どんな人々が築いたのかわかっていないからだ。

この謎の遺跡はアステカ人により14世紀に発見されたが、その優れた建築技術や緻密に計画された都市構造を見たアステカ人は、この都市こそ神々が造った都だと思い「神々の家」（ティオティワカン）と名づけたという。

この都市型遺跡のもっとも注目すべき特徴は、巨大な二つのピラミッドが築かれていることだろう。ティオティワカン遺跡の中央には幅が40メートルに及ぶ

「死者の大通り」が南北に２・３キロメートルにわたって走っているが、その最北端には「月のピラミッド」があり、最東端には「太陽のピラミッド」が建っている。

■エジプトより大きい「太陽のピラミッド」

月のピラミッドは高さが46メートル、底辺が１５０×１２０メートルの大きさがあり、太陽のピラミッドは高さが65メートル、底辺が２２５×２２５メートルもあり、総体積でいうとエジプトのピラミッドよりも大きいことになる。

このような巨大なピラミッドが建てられたのは西暦紀元前後と推定されているが、詳しいことはまったくわかっていない。

建築方法は傾斜壁（タルー）の上に垂直の壁（タブレロ）をはめ込んでいくことから、「タブー・タブレロ方式」と呼ばれており、エジプトのピラミッドのように下の方では約1メートル、上の方でも約40センチほどの高さの壁を組み合わせて造る方法とはまったく違うことがわかる。

しかも、「太陽のピラミッド」には人が登れるように階段までついているのだ。その階段の段差も約15センチと人が登りやすく造られているのだが、これはどういう意味なのか。

ピラミットは王の墓であるとか、神の座であるといった権威の象徴として建造されたと考えられていることが多いが、人が登れるように造られているということは何かの儀式をする場所だったとも考えられる。だが、それについてはいっさい不明なのである。

このティオティワカンには推定で多いときには約10万～20万人が住んでいたといわれ、天文学や数学にも長けていたといわれるように、人々が住む住居跡の遺跡も南北より15度東にずれた位置にあり、この遺跡が緻密に計算されて造られた都市であることがわかる。

宗教的にはケツァルコアトルといって、羽根をまとった神を信奉していたといわれ、この神は雨の神として奉られていたと考えられていることから農耕により糧を得ていたことも理解できる。

しかし、何といっても不思議なことは、この遺跡に住んでいた人々が7世紀半ば頃に忽然と姿を消してしまったということだ。神殿などに焼け落ちた形跡もあることから、侵略者により滅ぼされたのではないかという説もあるが、今のところ明確な理由はわかっていない。

はるか昔、中南米最古の都市ティオティワカンでいったい何が起きたのか、住民はどこに消えたのか、数々の謎を残したまま今も観光客のロマンを誘っているのである。

モヘンジョ・ダロの「ガラスの町」は古代核戦争の痕跡か

■モヘンジョ・ダロから突如消えた人々

紀元前2500年頃にインダス川流域で栄えた「インダス文明」は多くの謎を秘めている。なかでも1921年に発見されたモヘンジョ・ダロの遺跡は「死者の丘」という意味があり、じつはこの丘は古代の大型墳墓ではないかともいわれているのだ。

この遺跡が発掘された当時、4000年以上前にこれほど完全に整備された都市があったことに、歴史学者らは大いに驚かされた。

モヘンジョ・ダロ遺跡の広さは1・6平方キロに過ぎないが、内部には城壁のようなもので囲まれ、壁が厚く比較的広い家に住む上流階級が住んだと思われるエリアと、一般市民が住んだと思われる市街エリアに分けられていた。

しかも驚くことにモヘンジョ・ダロでは、一般の市民エリアでさえ各家に上下水道や浴室まで完備されていたのだ。さらに大浴場や集会所、穀物倉庫の跡も見られ、まさしく古代ギリシャのアテネのアクロポリスと同じような都市だったのだ。

この町には推定でも3万～4万人は居

住していたと考えられているが、不思議なことは他の文明遺跡に見られるような王宮や神殿の類がいっさい見当たらないことである。

しかも、もっと不思議なことは、人口の割には人骨が出土する量が少なく、まるで突如この町を捨てて消えたとさえ思えるのだ。

■核戦争によって滅びた町なのか？

モヘンジョ・ダロに住んでいた人々は紀元前1700年頃を境に忽然と姿を消したと考えられているが、果たしてどのような原因で彼らは慣れ親しんだ都市生活に終止符を打ったのか、その理由はいっさい不明なのだ。

ただし、そのヒントとなるようなものがインドの叙事詩『マハーバーラタ』や『ラーマーヤナ』の中に記述されているという説がある。これら叙事詩の中にはまるで都市が〝核戦争〟で滅びたかのような描写が記されているからだ。

たとえば『マハーバーラタ』には「アグアネが一度、空に放たれると、その矢は輝く流星の雨のように落下し、光となって敵を圧倒した」と記され、『ラーマーヤナ』にも都市が核兵器のようなもので滅びたと思える描写が記されている。

古代人が核戦争を起こすことなどあり得ないと思えるが、もしかしたら叙事詩には本当のことが記されているのではないかと思わせる証拠も見つかっている。

まず、モヘンジョ・ダロの内部にレンガが黒く焼け、高熱によりガラス質に変化したような痕跡がある場所があること。また、発掘された遺体は不自然な恰好で折り重なり、体がねじれていたのである。

もちろん、この核戦争説には反論も多い。不自然な恰好の遺体については紀元前1500年頃からアーリア人がインド北部に侵入した際にモヘンジョ・ダロも襲撃され、そのときに犠牲になった人々だろうという見方もある。

しかし、モヘンジョ・ダロからたった5キロしか離れていない場所に「ガラスになった町」と呼ばれる場所がある。

ここには直径約400メートルの範囲におよび、かなりの高熱で焼けてガラス化した土器や石などが散乱している。このガラス化した物質は、科学的にも1400〜1500℃くらいの高熱で非常に短時間で焼かれたものとの結論を下されている。

短時間で物質をガラス化させるような熱とはいったい何なのだろう。

カッパドキアの奇岩石の下にひろがる「大地下都市」

■荒涼とした風景の地下で起きていたこと
トルコのカッパドキアはアナトリア高

原中部にあるが、奇妙な形をした岩がおよそ200平方キロにわたり無数に広がっている。その風景は、まさに地獄の光景そのものといっても過言ではない。

じつはこれら奇妙な形をした岩は、先史時代に噴火したエルジェス火山の火山灰と溶岩がつくり出したものである。

岩は長年の風雨により浸食され、その形をさらに奇怪な形へと変えていったわけだが、何とカッパドキアの地下には巨大な地下都市が存在していたのだ。

このカッパドキアの地下都市が見つかったきっかけは、1965年に農夫が地面にある奇妙な穴を偶然発見したことからだ。その後、考古学者たちにより調査が行われ、大小さまざま地下都市が存在していることが判明したのである。

地下150メートルのところに8層構造の都市があり、1500メートルに及ぶ物資の運搬も兼ねた通気孔も造られていたのだ。

都市の内部は居住スペースをはじめ、食糧貯蔵庫や集会所、また墓所まであり、生活するには十分な機能を有し、オズゴナークという最大規模の都市は何と6万人を収容できる広さがあった。

そのほかにも1万5000人くらいは収容できる都市もいくつかあり、その規模は地上の都市と何ら変わりのないものだったのだ。

いったい誰が、何の目的でこんな人の寄りつかない場所の地下に都市をつくり上げたのか。その答えは今も謎のままだ。

■古代の核シェルターだったのか

この疑問に答えるヒントは、カッパドキアから北へ約100キロ離れた場所にある。その場所は「ハットゥシャ遺跡」といい、この遺跡は紀元前2000年頃に鉄器を発明し、古代オリエントを征服し、アナトリア高原一帯を支配していたヒッタイト人が築いた帝国の首都があった場所なのである。

伝説によるとヒッタイト人は、紀元前1200年頃に突然現れた「謎の海の民」たちによって滅ぼされてしまったとされている。その名残なのか、ハットゥシャ遺跡には奇妙な痕跡が残っている。

それは、レンガでできた城壁や建物が高温を浴びたように融解しており、石などは同じく高温を照射されたように焼結してひびが入っている。科学的調査によると、非常な高温を浴びた結果だと考えられているのだ。

では、その非常な高温とは何を意味するのか。荒唐無稽ではあるが、それは核による攻撃を意味するのか。もしそうだとしたら、核攻撃を逃れるためにカッパドキアの地下都市はヒッタイト人が避難するために造った核シェルターだったということになるが……。また逆の場合も考えられる。ヒッタイトを攻撃した「謎の海の民」がカッパドキアを隠し砦として造ったとも考えられるのだ。

カッパドキアにある地下都市は全部で200カ所以上もあり、各都市は地下道によって結ばれている。都市と都市を結ぶ地下道の距離は長いもので約9000メートルもある。

この地下都市を造った人々はいったいどのような方法で都市づくりをしたのかはともかく、この人の目を避けるように造られた地下都市に恩恵を被った人々がいたのもまた事実なのだ。

その人々とはローマ国教になる以前のキリスト教徒たちだ。彼らはローマ帝国からたびたび迫害の憂き目に遭い、それを逃れるため4世紀頃にカッパドキアの地下都市に移住してきている。

キリスト教徒たちは、のちにローマ帝国がキリスト教を国教として認めると8世紀頃からこの地下都市の中で教会や修道院まで新たに造り始め、信仰の奥義を極める修行場として使い始める。修行するためにカッパドキアに来た信徒の数は多い時で6万人もいたといわれる。

この地にいたキリスト教徒たちが残した聖画（壁画に描かれた聖像）は今でも観光客が訪れ、世界各地からひと目見ようとやってくるキリスト教の信者の数も少なくない。

ただし、迫害されたキリスト教徒によりカッパドキアの地下都市が拡大されたことは事実だが、忘れてならないのはすべての都市が造られたわけでなく、あくまでも彼らは誰かが造った地下都市に逃げ込んできたということだ。

では、最初にこの地下都市を造ったのは誰なのか、その答えについては誰も知らないのだ。

インカの〝空中都市〟マチュピチュを支えている高度な技術

■征服者たちも気づかなかった遺跡の存在

南米大陸に一大勢力を築いたインカ帝国が、1533年にスペインの侵攻によってあっけなく滅びたのは歴史的事実である。

その際、最後のインカの皇帝アタワルパは処刑され、皇族だったインカ・マンコとその息子たちは森の中へ逃げ込み、ジャングルの中に新しい都市を造って帝国の復興を企んだと伝えられている。

新しい都市の名は「ビルカバンバ」と呼ばれたが、そのビルカバンバの首長だったトゥパック・アマルも1572年にスペイン人により捕まり処刑され、ビルカバンバもその歴史を閉じたといわれる。

20世紀になるまでこのビルカバンバがどこにあったのかいっさい不明だったが、

1911年アメリカの考古学者ハイラム・ビンガムはビルカバンバを探そうとペルーを訪れる。

ビンガムはウルバンバ渓谷を探索している際に、現地の少年から山の上に遺跡が残っているという話を聞き、これぞビルカバンバと思える古代遺跡を発見する。しかしその場所は、通常は都市を築くような場所とは思えない標高2057メートルの山々の中にある遺跡だった。

周囲が3300ヘクタールにも及ぶこの遺跡には中央に広場があり、すべて石壁で仕切られて段々畑や住居跡、祭礼の場所が整然と造られていたが、なかでも「太陽の神殿」、「月の神殿」、「王女の神殿」など神殿の数が多いことが目立った。

こんな辺鄙《へんぴ》な場所に神殿の多い都市をつくった理由はなぜなのか、この疑問については当初発見者であるビンガムにもわからなかった。

しかも都市づくりの素材になっているのは5～10トンクラスの石であり、これらの石は広場の下にあるウルバンバ川の岸辺から調達したと考えられるが、古代の人々がどのようにして標高2000メートル以上あるこの場所にまでもち運んだのか、はっきりとしたことはいまだにわかっていないのだ。

この空中都市については、スペイン側のインカ帝国に関するどの記録書や調書にも記されておらず、スペインが侵略してきた当時から、まるで空中の〝隠し砦〟のような存在だったと考えられている。そして現地ではこの遺跡のことをビルカバンバではなく、「マチュピチュ」（老いた峰）と呼んでいたのである。

■巫女たちが暮らす宗教都市だった？

結論からいうと、ビンガムが見つけたのはビルカバンバではなかった。

というのは、ビルカバンバはマチュピチュから西にあるジャングルの中で1977年に発見されたからである。だがビルカバンバの遺跡では、マチュピチュに比べて考古学的に価値のある遺物は発見されなかったという。

そこで、ビンガムが偶然に発見したマチュピチュとはいったいどんな都市だったのかという新たな謎が生じた。前人未到の謎の遺跡マチュピチュについてはいまだにさまざまな見解がもたれている。

ヒントになるのは、マチュピチュの遺跡の共同墓地から発掘された173体の人骨である。何と、そのうち150体を女性の人骨が占めていたのだ。

これらの女性はマチュピチュには神殿が多いことから、神に仕える巫女《みこ》的存在（シャーマン）だったのではないかという意見がある。巫女とは神に供物を捧げ、神を祝う祭祀を司る重要な役目をもつ女性のことである。

インカ帝国では古くから霊的パワーが備わった土地を「ワカ」と呼び、そこに神殿を建てる風習があった。その際、女性のシャーマンが重要な役割をもって、彼女たちはコカの葉を籠に詰めたものや、色のついた貝殻、ラマやアルパカというラクダ科の動物、金属製の人形などを捧げ物として扱っていた。

しかしその捧げ物の中に、ときには人間の場合があったのだ。主に6歳から10歳くらいの女の子が生贄となっていたが、インカの各都市で生贄と決まった子供たちは一度首都であるクスコに送られ神官により盛大な儀式が行われ、再び故郷であるインカの各都市に帰ってから生贄として捧げられたのである。

ワカのある場所はアンデス山中の標高6000メートル級の山頂にもあったようで、そのような場所から生贄として捧げられた女性のミイラも見つかっている。

今では残酷としかいえない儀式であるが、子供を差し出す側の各地の首長にとってはインカ帝国および彼らが信奉する神に対する忠誠心を示す上で重要な儀式だったのである。

マチュピチュでは生贄の儀式が執り行われていた証拠であるミイラが発見された例はないが、何らかの重要な宗教儀式を行う場所であったことは、その神殿の規模からも伺える。しかし、具体的な内容はいまだ謎のままなのである。

高度な天文知識をもつドゴン族が暮らしたバンディアガラの断崖

■外界との接触を拒み続けていたドゴン族

世界遺産にも登録されている西アフリカのマリ共和国にある「バンディアガラの断崖」はニジェール川上流にある。ここには外界との接触を拒むように独自の文化体系を維持するドゴン族という少数民族が住んでいる。

ドゴン族がこの地に定住したのは1300年代といわれているが、それ以来、彼らは外界との関わりをいっさいもたないように生活してきた部族である。

彼らとの接触を最初に試みたのは、1931年にフランス人研究者グリオールとディエテルのふたりだが、外界の人間との接触をことさら嫌うドゴン族の文化を聞き出すのに10年近くの歳月がかかったという。

ドゴン族の文化の特徴は文字をもっていないにもかかわらず、かなり高度な天文学的知識をもっていたことである。それは、現代の天文観測技術に匹敵するほどのものだったのだ。

たとえば彼らの宇宙観によると「ポ・トロ」という小さな星が最重要視されている。この星は天空を50年で1周する周期をもち、全天で一番明るく小さいが、その重さは地球より2倍も重いと説かれている。

「ポ・トロ」については当初はドゴン族の神話だと思われていたが、19世紀にシリウスBという星が発見されたことで事実だとわかり、彼らの天文学的知識の深さが再認識されたのである。

■ブラックホール＝小さくても重い星

現代天文学でわかっていることはシリウスBという星は白色矮星といわれ、星としての寿命が尽きようとしている星で、やがてブラックホールになっていく運命にある。

ブラックホールはまさしく星が自らの重力に耐え切れず空間をも歪めてできるとされているものだが、ドゴン族はそれを「小さくても重い星」という表現を使って説明しているのだ。

そのほかにも彼らは月のことを「生命のない死の星」、土星を「輪に囲まれた星」、木星のことを「小さな星を従えた星」などという表現で説明している。これは天体望遠鏡などもたない彼らには到底わからないはずだ。

ドゴン族の天文知識については、相当の〝オヒレ〟がついてひろまっている部分もあるようで、実際のところはわからない。

ドゴン族は優れた天文学的知識だけでなく、独自の神話体系ももっている。そのなかには輪廻転生のような宗教的な要素も多分に含まれている。これは彼らがかなり高度な精神性を有している人々であることを示すと同時に、重要な知識は代々口伝されていったのである。

またドゴン族は60年に一度、盛大な祭りを行うが、この祭りは「シギ」と呼ばれており、この日は太陽と「ポ・トロ（シリウスB）」が同時に昇る日とされている。

この日は村中でさまざまな仮面をつけて踊りまくるのだが、じつはこの踊りにも意味があり、宇宙創生や神話などをテーマにした踊りでもあるという。ドゴン族はこの祭りを通しても彼らの神話や天文知識を子孫に伝えているのだ。

都会に暮らし、自然と共存することをすっかり忘れた現代人にとっては、ドゴン族のような精神性の高い生活に対して理解を超えた神秘性さえ感じるが、じつは不自然なのは現代人のほうで、彼らにしてみれば普通の知識として受け止めているだけのことなのかもしれない。

「ナスカの地上絵」が描かれた真の目的とは？

■航空機から「発見」された地上絵

南米ペルーの南部には、海岸に沿って

南北へ続く丘陵地帯がある。この丘陵地帯と、南米を背骨のように大きく貫くアンデス山脈との間は細長い盆地になっている。この盆地は標高約620メートルで、パンパ・コロラダ、あるいはパンパ・インヘニヨという名前で呼ばれる一帯だが、ここに無数に広がっているのが「ナスカの地上絵」である。

首都のリマを中心に考えると、南へ約450キロメートル行ったあたりに、約220平方キロメートルにわたって広がっていることになる。

世界中によく知られ、研究者はもちろん、毎年数多くの観光客が訪れる場所だが、誰が、何のために描いたものなのかがいまだに判明していない謎の絵である。

サル、ハチドリ、シャチ、魚など動物や植物の図柄は30以上、幾何学模様は200以上も描かれている。なかには、奇妙な格好をした人間と思われる絵柄や、手だけを描いたものもある。

また、ひとつの中心点に向かって何本もの放射状の直線が集まる図柄が60個以上も見つかっている。ちなみにこれらの中心点は、ほかの中心点と直線で結ばれており、絵そのものは大きなものでは数百メートルにおよび、直線になると数キロメートルになるものもある。

それぞれの絵柄をかたどっている「線」は、何らかの材料で地上に直接引かれたものではない。ナスカの台地は酸化して黒くなった小石に覆われていて、地表に広がる黒石をはぎ取ると、その下の白っぽい地肌が露出する。地上絵をかたどっているのは、そうやってつくられた幅が約20～30センチメートルから約1メートルの「線」である。

描かれたのは西暦0～800年頃のことだといわれる。地上絵を描く「線」をつくるために取り除かれた黒石に付着していた有機物の分析結果から、およそその製作年代が測定されたのである。

この時期は「ナスカ期」といわれるが、ナスカ期にこのあたりに住んでいたナスカ人たちが残した土器に描かれている図柄と、地上絵の図柄とがよく似ていることがわかっている。そのことから、これら地上絵を描いたのは、その時期のナスカ人ではないかと考えられている。

じつは、この地上絵の存在は16～17世紀にはすでに知られていた。しかし、そのときはまだ地上で見るだけだったので、「地面に何らかの線が引かれているようだ」としか認識されていなかった。１９２０年代になり、この地を航空機が飛行するようになって初めて、それが何を描いたものであるかがわかったのだ。

そこで、ひとつの疑問が出てくる。地上から見ても全体像が確認できないような巨大な絵を航空機のなかった時代の人々がどのような方法で描いたのか、そして何のために描いたのか、ということだ。

■暦か、星座表か、宗教施設か

これまで、いくつかの説が唱えられてきた。

まず、ナスカの人々が天体観測によって考え出した星座を地上に表現した星座表ではないかという考え方だ。それぞれの図柄は星座の出没方向と関係しており、実際の星座の位置と結びつけることで、地上絵全体が巨大な暦として機能していたのではないかというのである。

この説は1941年、この地を訪れたある研究者が、偶然にも冬至の日の太陽がある図柄の直線と同じ方向に沈んでいくのを見たことがきっかけで生まれた。

この研究者の発見は、のちにナスカ地上絵研究の第一人者といわれるマリア・ライへに引き継がれる。そして、彼女が行った緻密な調査によって、地上絵の全体像が初めて把握されたのである。

もちろん彼女も地上絵は巨大な星座表ではないかと考えた。この説は一躍世界中に知れ渡った。

たとえば、有名なクモの絵柄がある。彼女の調査によれば、これはオリオン座を示しており、さらにその背筋の線を延長すると地平線からオリオン座が上ってくる方向と一致しているのだ。

また、ハチドリの絵柄も有名だが、そのクチバシは夏至の太陽が昇る方向を指している。クジラもまた、夏至の太陽の入没方向と深い関係にある。彼女は、地上絵の多くが、それぞれ実際の星の位置と密接な関係があることを突き止めたのだ。

しかし、この説には反論も多い。

たしかに星座や太陽の出没方向と一致する絵や線も多数見つかっている。しかしそれは、地上絵全体からすればほんの1割にも満たない。そのことから、いくつかの絵や線が天体の運行と関連しているのはただの偶然であり、天文学とは何の関係もないとする研究者も少なくないのだ。

最近発表された新しい説として、西暦1400年頃に栄えたアンデス文明最大のインカ帝国の首都クスコと関係があるのではないかという考え方がある。

クスコには太陽神殿コリカンチャと呼ばれる建物があり、そこを中心にして41の方角に広がる想像上の直線が設定され、その上に300カ所以上の聖所が分布していたといわれる。この放射状の空間構造は、インカの儀礼や社会組織、天文暦法を反映していると考えられている。

そしてナスカの地上絵も、これと同様の発想で描かれたのではないかというわけだ。

実際、地上絵の放射線の中心点で石塚やストーンサークルなどが発見されている。そのことから、これらの施設はクスコの太陽神殿や聖所と同じような役目を担っていたと推測できるのだ。これは新しい説として注目されている。

また、放射線状の直線には、ナスカが水で潤う時期の日の出の方向と一致するものが多いことに気づいた研究者もいる。そこから、水に関する儀礼と関係があるのではないかという考え方も出てきた。

さらには、宗教的儀式のために使用された神聖な道路という説もある。祭りのとき、これらの線の上を人々が歩いたというのだ。

ほかにも、宗教に関する目的があるのではないかという説もあるが、これは地上絵の一部に関しては説明できても、動物などを象《かたど》った多くの絵の説明となると、まだ合理的な答えは見つかっていない。なぜこれだけ大がかりな絵を描く必要があったのか、という理由が不足しており、いまだに決定的な説はない。

■どのようにして描かれたのか
さらに、この地方の土着的な宗教から生まれた精霊の姿や神格化された動物を表現したものだという研究者もいる。

じつはナスカ地方には、これら地上絵

とよく似たシンボルをもつ宗教が存在しており、それと関連づけて説明しようというのである。

また突飛ではあるが、宇宙から飛来するUFOが着陸するときに誘導するための標識のようなものだとする説まである。

地上絵の中には、まるで滑走路のような幅の広い直線部分がある。確かにUFOが着陸するのに便利かもしれない。そもそも、これらを上空からしか把握できない地上絵として描いた理屈もこれなら説明がつくというわけだ。

しかし、この説には当然ながら反論もある。ある研究者により、必ずしも上空からの視点がなくても地上絵を描くことができると証明されたのだ。小さな下絵をある一定の比率で何度も拡大していけばいいのである。この方法だと、地上にいても巨大な地上絵を残すことができる。

じつは、そういった作業に使われたのではないかと思われる木片や、図柄の拡大作業に使う杭を打ち込んだ痕跡と思われる穴も発見されているのだ。

このように数多くの説があるものの、どれもその確証を得ることができないままである。今のところ、この地上絵が描かれた本当の目的はまだ判明していないのだ。

極端に降水量が少ないために1000年以上も消えずに残されてきた地上絵は、

今でも新しい絵柄が発見されることもある。いつかその全貌が明かされ、その謎のすべてが解明される日が来るのか、おおいに期待されている。

ただし、地球的規模で進む異常気象のせいで、本来は降水量の少なかったこの地域でもここ数年は雨が増えている。

これからも今までと同じように自然の状態で地上絵が保存できるとは限らない。何らかの形で保存する方法を考えなければならない時期にきているともいわれている。

せめて、その謎が解けるまでは何とかして地上絵を守ることは人類の役目といえるだろう。

美しくも奇妙な謎に彩られた「ヴォイニッチ写本」の解けない謎

■なぜ誰も読めない本が存在するのか

古代から現代に至るまで、人間は膨大な量の書物を書き残してきた。なかには、時代を越え、国境を越えて読み継がれてきた書物もある。

ところで、こうした一般的な書物とは少々異なった、奇書・珍書といわれるものも世の中には存在する。そのなかでも、多くの人が口をそろえて「世界一の奇書」と評する1冊があることをご存じだろうか。

それが『ヴォイニッチ写本』である。

現在はアメリカのイェール大学バイネッケ稀覯《きこう》本書庫に所蔵されている古い写本だ。

四つ折りにされた仔牛皮紙の紙葉は8枚が欠けているが、それでもページ数にして200ページ以上に及ぶ。紙葉のサイズはそれぞれ異なるものの、およそ23×15センチほどで、なかにはかなり大きいサイズのものも含まれている。

大半のページには彩色された挿画があり、そのすき間を縫うようにびっしりと文字が書き込まれている。挿画から察するに、その内容は植物学、天文学、生物学、薬学など、多岐にわたっているようだ。

一見しただけでは、ただの古い写本と変わりがないように思える。しかし、ヴォイニッチ写本には決定的にほかの本と違うところがある。誰も読んだことがない本なのだ。

それは、この本が一般に公開されていないという意味ではない。誰一人として、ここに書かれている文字を解読できなかったのである。

■執筆者をめぐる謎

ヴォイニッチ写本を発見したのは、古書商のウィルフリド・マイケル・ヴォイニッチだ。彼によれば、1912年、南ヨーロッパのある古城に所蔵されていた多くの稀覯本の中から全文が暗号で書かれたこの本を見つけたのだという。

ヴォイニッチは、この本を書いた人物は13世紀の哲学者で、フランチェスコ会の修道士でもあったロジャー・ベーコンだと信じていた。

というのも、写本には1665年（あるいは1666年）の日付の入った手紙が添付されていたのだ。手紙には、「かつてボヘミアの皇帝ルドルフ2世がもっていたこともあるこの本を自分は友人から譲り受けた。作者はロジャー・ベーコンだとされているようだが、自分にはわからない。判断は貴殿にお任せしたい」といった内容が記されていた。

しかも、ヴォイニッチはもうひとつカギを握っていた。購入先はヨーロッパの古城というあいまいな表現をしていたが、じつはイタリアのフラスカーティにあるヴィラ・モンドラゴーネ僧院から手に入れていたのだ。

ロジャー・ベーコンは近代自然科学の先駆とされているが、当時は教会の教えに反する研究を行っている者として14年も監禁されていた人物である。そのベーコンなら、教会にわからないように、自分の研究を暗号で残しておくということも十分にありえるだろう、とヴォイニッチは考えたのだ。

世に知られていないベーコンの書と認

められれば、莫大な価値がつくはずだった。

■文字も図解もまるで暗号…

ヴォイニッチ写本の暗号に最初に取り組んだのは、ペンシルヴァニア大学のウイリアム・ロメイン・ニューボールド教授である。彼は数々の暗号解読法を試し、複雑に組み合わせ、ついに解読に成功したと確信した。

そして、1921年、「ヴォイニッチ＝ロジャー・ベーコン写本」と名づけた講演を行う。その内容は、ベーコンは光学機器を製作し、観測を行っていたという驚くべきものだった。

しかし、この時点でニューボールドが解読していたのは、わずか数行だけ。あとは挿画から推測し、自分の見解をつけ加えていたにすぎなかったのだ。

やがて、ニューボールドの解読システムには反論が噴出し、ヴォイニッチ写本の暗号は白紙の状態に戻ってしまった。

その後も、さまざまな人々がヴォイニッチ写本の解読に取り組んでいる。そのなかには、第2次世界大戦でアメリカの暗号解読に手腕を振るったウィリアム・フレデリック・フリードマンもいたという。フリードマンは、何か新しい言語を作成しようとしていたのではないかとみていたらしい。

一方、文字からだけでなく、挿画から内容や制作年代を推測しようという試みもなされた。

だが、植物で同定できるものはほとんどなく、ニューボールドではないが、顕微鏡を使わなければ描けないような図解まであるのだ。未知の植物や星座なのか、想像の産物なのか、誰も判断できないでいるのが現状である。

■偽書の噂は本当なのか

文字は解読できない、図解の意味もつかめない、作者も不明…。ヴォイニッチ写本は、まさに謎だらけだ。そもそも暗号ならば、解読できなければ意味がないのに元になっている言語すらわからないのである。

ここまで謎が多いのは、もしかしたらヴォイニッチ写本が偽書、あるいはいたずらなのではないかという見方もある。

3章

その"街"で、一体何が起きたか
〈アジア編〉

敦煌〈中国〉

砂に埋もれた繁栄の記憶と「敦煌文書」

■砂漠の中に悠然と現れる街

広大なゴビ砂漠の中に悠然と現れるオアシスの街・敦煌《とんこう》。シルクロードの中継点として栄えたこの街は、今では世界各国から旅行客が訪れる観光地となっている。

この敦煌近郊に広がる砂山の鳴沙山《ミンシャーシャン》では、かつてシルクロードを東から西へ、西から東へと命を賭《と》して往来した商人や旅人たちの気分を存分に味わうことができる。また、有名な莫高窟《ばっこうくつ》に行けば膨大な数の仏教美術品に触れることができる。

だが、敦煌は思いのほかこじんまりした街である。近年になってようやく近代建築が増えてきてはいるものの、全体的に地方の田舎町といった雰囲気を漂わせている。

それもそのはずで、敦煌は20世紀初頭に莫高窟から『敦煌文書』と呼ばれる膨大な数の仏典が発見されるまでは、歴史の表舞台から姿を消して砂に埋もれていたのだ。

「敦煌」の文字は「大きくかがやく」ことを意味している。その名のとおり、かつて盛大に栄えていたこの街は、なぜ繁栄を続けることができなかったのだろうか。

■シルクロードの要地として発展

敦煌は月氏《げっし》・匈奴《きょうど》の支配後、漢の武帝《ぶてい》が前121年頃に設置した河西4郡のうちのひとつとして中国の歴史にその名が登場する。

武帝は周辺からは外敵の侵入に備えるため、西域の要地として敦煌まで万里の長城を延長し、軍隊を駐屯させて防備を固めていく。

そして、東西の交易が進むにつれ、敦煌はシルクロードの東側の出口となって東からの絹、西からの仏教をはじめ、産物や文化が交流する街となった。こうして発展を遂げていったこの街は、やがて隋・唐の時代にその名に似つかわしく輝かしい最盛期を迎える。

鳴沙山の東の麓にある石窟寺院や敦煌莫高窟もこの隋・唐の時代にもっとも盛んに造られるようになった。北涼《ほくりょう》から始まり元までの1000年近く、中国を支配する王朝が激しく移り変わっても莫高窟は造営され続け、現在確認されているだけでも492もの石窟がある。

それぞれの窟には壁画や塑像が保存され、各時代の特徴が現れているが、唐代に造られたものは、その数の多さもさることながら表現力が豊かでみごとな芸術品となっているのだ。

だが、これら石窟寺院も、そして栄華を極めていた敦煌の街自体もやがて歴史の舞台から消え去り、砂の中に埋もれる時がくる。

■「敦煌文書」発見の意味

唐の末に起こった「安史《あんし》の乱」以降、唐の中央政府は弱体化し、西域では吐蕃《とばん》の勢いが増していった。やがて敦煌は吐蕃の支配下に入り、さらに11世紀初頭にタングート族の西夏が興ると、敦煌は西夏からの襲来を受ける。

この時、災難を逃れるようにと膨大な数の仏典が石窟の中に塗り込められた。これが井上靖の小説『敦煌』でも書かれた「敦煌文書」である。

「敦煌文書」に関しては諸説あり、もともと石窟が蔵経庫だっただけで隠したわけではないとする説もあるが、どちらにしろ、敦煌はその後のシルクロードの衰退とともに徐々に砂漠の中で隔絶され、明代に入るとまったく人々から忘れ去られてしまう。

そして清朝の末の１９００年、約５万点ともいわれる「敦煌文書」の発見に世界が驚愕し、長い眠りから覚めたのである。

長い年月をかけて多くの人々によって築かれ、そして忘れられていた敦煌は、今も砂漠のオアシスとして悠久の時を刻んでいる。

西安〈中国〉
東西交流と共に発展した古代中国の都

■王朝の栄枯盛衰を見届けた街

古代中国の都として知られる西安は、中国有数の観光都市のひとつである。市街は明代に建てられた鐘楼《しょうろう》を中心に東西南北に大通りが延び、その東側と西側には繁華街が広がる。

賑わいと活気ある街の様子は、西安がまた中国西北部における政治経済の中心地であることを教えてくれる。

だが、西安という地名を聞いてピンとこない人も多いだろう。それは、この街が「長安」の名前で歴史上に登場することが多かったからだ。西安と呼ばれるようになったのは明代になってからである。

古くは約3000年前に西周がこの土地に都を置き、やがて中国を初めて統一した秦の始皇帝が阿房宮《あぼうきゅう》や始皇帝陵を築いて街の基盤をつくった。その後、前漢の高祖・劉邦《りゅうほう》が長安と改称し、ここに都を建設する。

そしてそれ以降、隋や唐などの王朝がこの街を都として選んできたのだ。また、長安は政治の中心地というだけでなく、シルクロードの起点の街としても知られる。

日本からも遣隋使や遣唐使が数多く訪れ、あの玄装《げんじょう》（三蔵法師《さんぞうほうし》）が天竺《てんじく》に求めた仏教の経典もこの街に持ち帰られた。

■アジアにまたがる国際都市

その長安がもっとも繁栄したのが唐の時代である。唐の最盛期は「長安の春」とも呼ばれ、その華やかな時世が偲ばれる。

618年に隋を滅ぼして成立した唐は、2代目の太宗《たいそう》の時に中国を統一し、その子供の3代高宗《こうそう》の時代にかけて世界的な大帝国を形成するのだ。

その勢いは朝鮮半島の百済《くだら》・高句麗《こうくり》を滅ぼし、ベトナム北部から中央アジアにまたがる強大なものだった。

そして、シルクロードの繁栄と相まって東西文化の交流地として唐の都・長安はローマと肩を並べる国際都市に成長していく。

しかし、その治世が「貞観《じょうがん》の治」と称えられた太宗と違い、おとなしい性格だった高宗の晩年になると、政権をめぐる争いが生じる。気の弱い高宗は皇后である則天武后《そくてんぶこう》に政権を握られてしまうのである。

■則天武后が歴史を変えた

則天武后はもともと下級官吏の娘で武照《ぶしょう》といい、父・太宗の後宮にいた女性である。太宗にはまったく相手にされなかった武照だが、息子の高宗は彼女を気に入り、太宗の死後、尼寺に入っていた武照を自分の後宮に迎え入れる。

しかし、武照は気性が激しく野心に満ちた女性だった。やがて太宗の子供を出産した武照は皇后を冤罪で処刑にし、自身が皇后の座に登り詰める。

こうして則天武后となった彼女は病弱な高宗に代わって政務の実権を握る。さらに高宗が死ぬと実子の中宗《ちゅうそう》と睿宗《えいそう》を廃して自らが皇帝の座に就き、国号を唐から周へと変えてしまう。長い中国史上で唯一の女帝の誕生である。

彼女は、その野心のためなら実の子供や孫さえも殺した冷酷で残忍な女帝として知られている。

しかし、一方でその非道ぶりはもっぱら政敵の粛清に向けられたもので、政治面では無能な門閥を一掃し、優秀な人材を抜擢して革新的な政治を行った。

晩年に則天武后が病に臥《ふ》すと、息子の中宗が復位し再び唐を復活させる。周は結局15年の短命で終わりを告げるが、則天武后が優れた人材を登用したことは、復活した唐がそののち繁栄する礎ともなっていった。

■楊貴妃の登場が持つ意味

しかし再び帝位に戻った中宗の在位は、わずか5年だった。彼は母に続いて今度は皇后の韋后《いこう》によって皇帝の座を奪われ、毒殺されてしまったのである。

韋后は6代皇帝となる玄宗《げんそう》に殺されて、この政権奪取は失敗に終わるが、則天武后と韋后のふたりの女性が引き起こした混乱は「武韋《ぶい》の禍《か》」と称されて唐の歴史に名を残している。

一方、帝位に就いた玄宗の治世は「開元の治《かいげんのち》」と呼ばれ、唐代に限らず中国史のなかでも類まれな全盛期だった。

彼は農民の生活安定を図り、文化を発展させて善政に努めた。まさしく春と呼ぶにふさわしい華やいだ雰囲気が長安の都を覆っていた。

だが、この春が過ぎ去る時が来る。唐は再び、ひとりの女性によって混乱させられていくのだった。

玄宗は晩年、ある女性にうつつを抜かして政治を怠り、彼女の一族を高官につかせて国政を乱していったのである。その女性とは美女として名高い楊貴妃《ようきひ》だ。

やがて乱れた政治に不満を抱いた安禄山《あんろくざん》による反乱が起き、玄宗は退位させられ楊貴妃は殺される。

乱は鎮圧されたが、これを機に唐は衰退の一途をたどり、のちに節度使《せつどし》の朱全忠《しゅぜんちゅう》により滅ぼされて大唐帝国も終わりを告げるのだった。

現在の西安市街には唐代を偲ぶことができる建築物は数少ない。唐末の混乱でほとんどが破壊されてしまったからだ。だが、異国情緒あふれる古都の雰囲気は今も残り、遠い日の栄華を感じることができる。

香港〈中国〉
英統治から始まった世界的な経済都市

■中国とイギリスの複雑な関係

世界でもっとも繁栄する経済都市のひとつであり、世界中から大勢の人が集まる観光都市でもある香港は、西洋と東洋が混在する独特の街である。中国の一部でありながらも「一国二制度」のなかで資本主義経済を標榜する一面を見せる。

現在はわずかな土地に752万人の人々が生活する街だが、今日の香港を築いたのは中国とイギリスの複雑な関係である。

しかも、香港は香港島、九竜半島の先端部分、新界、ランタオ島およびその周辺という4つの地域からなるが、イギリスとの関係を見るとそれぞれが別の経緯を持っている。

■南京条約でイギリスに割譲された香港

17世紀以降、イギリスは国内の巨大な需要を支えるために中国から膨大な量の茶を輸入していた。しかし、イギリスが中国に輸出できるものは銀しかなかった。

銀の流出を食い止めたいイギリスは、銀製品を植民地インドに送り、中国へはインドで産出するアヘンを送るという「三角貿易」で自国の利益を守ろうとする。しかし、一方の中国ではアヘン中毒者が急増し、賄賂の横行で官僚政治の腐敗を招いていた。

そこで中国政府はアヘンの持ち込みを禁止し、主なアヘン流入の地だった広東で外国商人に誓約書の提出とアヘンの没収を迫る。この状況を見たイギリスはインドから軍艦を派遣し、こうして1840年に「アヘン戦争」が勃発する。

戦況は軍事力に勝るイギリスが圧倒的な勝利を収め、1842年に「南京条約」が締結された。そして、中国にとって大きな不利益になるこの条約により、香港島はイギリスの直轄植民地となったのだ。

当時は小集落が点在するだけのさびれた土地だった香港島にイギリスは商社や金融機関、軍事施設などを建設し、経済的な発展が進む。

さらに、1858年に起こった「第2次アヘン戦争」の後に結ばれた「北京条約」より中国本土の九竜もイギリスの支配領域となった。そして、１８９８年には99年間にわたる租借が約束され、イギリスのアジア貿易の拠点として香港は繁栄の時代を迎える。

特に自由貿易港としての関税特権は世界各国との中継貿易の拠点として香港を発展させ、金融の中心地として世界中の注目を集めた。

その後、反植民地運動による生産力の低下、イギリスの対アジア貿易の減少などで一時的に衰退した時期もあり、さらに太平洋戦争中には4年近くも日本の占領下に置かれた時期もある。

しかし戦後は再びイギリスの支配となり、中国各地からの難民により２００万人以上に膨れあがった人口を支えるために産業振興に力が入れられ、これが今日の香港の繁栄の基礎となったのである。

■「一国二制度」に支えられた繁栄

租借の期限は99年間である。香港から得られる外貨の重要性を無視できない中国と、投資や巨大市場としての香港を手放したくないイギリスとの間で香港返還をめぐる交渉が行われた。

そして１９９７年７月、中国が香港における主権を回復したのだ。

中国に返還されてからも香港の街が大きく変化したということはない。返還後も中国は香港を特別行政区に指定し、資本主義経済の維持を約束している。

いわゆる一国二制度の考え方だが、裏を返せば中国にとっても諸外国にとっても、香港が持つ経済的価値がそれだけ大きいということで、世界中がその動向に注目している。

そんななかで２０１９年に起こった香港での大規模なデモと区議選で民主派が圧勝したことは、中国と香港との複雑な関係を世界に知らしめることになった。中国との間に特殊な歴史的背景を持つ香港にとって、これからがひとつの正念場である。

ホーチミン〈ベトナム〉
サイゴンがホーチミンに名前を変えるまで

■植民地の名残がある東洋のパリ

ワシントンＤＣやアレクサンドリアなど、世界には人名にちなんだ都市名が少なくない。

ホーチミンもまたベトナム史に残る指導者の名に由来した街である。

ホーチミンは、首都ハノイをもしのぐ大都市だ。路上には流れを止めないバイクやシクロがあふれ、市場は朝から晩まで賑わいをみせる。80年代の「ドイモイ政策」で経済的にも発展した街はエネルギッシュなアジアの象徴といっても過言ではない。

ベトナムは1884年にフランスの保護国として事実上植民地化された。したがって街には当時建設されたコロニアルスタイルの建造物が多くみられ、しばしば「東洋のパリ」とも形容される。

だが少し前の世代にとっては、サイゴンという旧名のほうが馴染み深いかもしれない。サイゴンからホーチミンへの改名はほかでもない、「ベトナム戦争」の産物である。

■ベトナム戦争の発端

ベトナム戦争は、第2次大戦終戦直後に宣言された「ベトナム民主共和国」の独立に起因する。

この時、北部のハノイに革命政府を置き独立を宣言した人物こそ、ベトナム人民軍を率いる指導者ホーチミンであった。

対抗したフランスは南部のサイゴンを支配（ベトナム共和国）する。この国家分断という異常事態は、北ベトナム対南ベトナムという「第1次インドシナ戦争」へと発展するのである。

8年にわたるこの戦いは最終的に仏軍の撤退で幕を閉じたが、この戦争は次なる戦いの火種を生んでしまった。

それは、仏軍に援助を行ったアメリカのベトナムに対する影響力である。南ベトナムが自由主義を基盤にしているのに対し、ホーチミンが掲げたのは共産主義だった。つまり、アメリカはアジアの共産化を恐れ、南ベトナムをバックアップしたのである。

1955年、南ベトナムにはアメリカが支援するディエム政権が誕生した。すると北ベトナムは「南ベトナム解放民族戦線」（NLF）を結成し、打倒南ベトナム政権をめざす。そして1965年、「トンキン湾事件」を理由にアメリカが直接的な軍事介入に出た。「第2次インドシナ戦争」、通称ベトナム戦争の開戦である。

■長い戦いの結末とは

ホーチミン率いるNLFの最大の目的はサイゴンの解放だった。

しかし、南北の分断線である北緯17度線エリアは地形上東西に短かったため、NLFは隣国のラオス、カンボジアに物資や兵士を送り込むための秘密のルート（ホーチミン・ルート）をつくりサイゴンをめざした。

米軍は北ベトナムへの爆撃などで応戦したが、1968年、NLFがサイゴンの米大使館を一時的に占拠すると自国では反戦運動が高まり、戦況は北ベトナムに優位に傾いていった。

1973年1月、アメリカは「パリ和平協定」に調印し、ベトナムからの撤退を決定する。

そして1975年4月、NLFによりサイゴンは陥落。北ベトナムの勝利によって戦争は終結し、翌年「ベトナム社会主義共和国」が誕生したのである。

実はホーチミンは終戦を迎える前に亡くなっているが、彼を建国の父と称えた新政府によりサイゴンはホーチミンという名に改められた。

史上最悪の戦争といわれた戦いはベトナム、アメリカ双方に大きな傷を残した。現在のホーチミンでは、戦争博物館や旧南ベトナムの大統領官邸跡などが戦争の残酷さを静かに伝えている。

カブール〈アフガニスタン〉
険しい山岳地帯がなぜ"文明の十字路"に？

■東と西が交差するユーラシアの中間点

パキスタン、イラン、トルクメニスタン、ウズベキスタン、タジキスタン、そして中国の6カ国と国境を接するアフガニスタンは、中央アジアの西部に位置する内陸国である。砂漠や草原、そびえ立つ山々に囲まれたその自然環境は厳しく、住民のほとんどが山地周辺の渓谷に住んでいる。なかでももっとも多くの人口を抱えるのが南東部の肥沃なカブール川流域で、首都カブールの名称はこの川にちなんでつけられたという。

そのカブールは標高1800メートルと高地であるにもかかわらず、さまざまな時代の遺物が多数発見されている。

たとえばインドが起源と考えられる象牙彫り、中国からもたらされたであろう黒漆の箱、ローマ時代のガラスの器、火山の噴火によって全滅したローマの都市ポンペイのものに酷似した象牙製品などである。

この地帯にこうした遺物が残されているのは、シルクロードの3本のルートのうちの1本がカブールを通っていたからにほかならない。ローマ、中東、ペルシアの産物はカブールを通って中国や朝鮮へ、インドのものはカブールを通ってローマや中国へというようにモノや人、文化や宗教がカブールを介して西へ東へ、南へ北へと伝播していったのだ。それゆえ、カブールは〝文明の十字路〟とも呼ばれているのである。

■繰り返された侵略の末に

しかし、カブールはその西洋と東洋の中間という立地ゆえにこれまで数多くの侵略の跡が刻まれてきた。

その歴史は2300年以上も前に遡る。もともとカブールを中心としたアフガニスタンはペルシア帝国の一部だった。しかし、前328年にマケドニア王国のアレクサンドロス大王が征服、次に前3世紀中頃にバクトリア王国が建設される。

その後、中国国境から来た大月氏がバクトリア王国を征服してクシャン朝を興すが、今度はササン朝ペルシアに支配されるのだ。この頃までの文化は、ギリシア・ローマ、インドの影響を強く受けている。

その文化に大きな変化がもたらされたのは7世紀で、アラブ人の支配によってそれまで仏教が第一宗教だったアフガニスタンにイスラム教が導入されるようになる。そして、アフガニスタンは、イスラム教伝播の中心地へと変貌していくのである。

アラブ人の支配は約600年も続いたが、13世紀になるとチンギス・ハン率いるモンゴルの支配を受け、彼の子孫であるバーブルはムガールへの侵入の拠点をカブールに置いた。

そして、1747年にドゥラーニー王朝が成立。続くバラクザイ王朝時代にはイギリスの保護領となるが、1919年に独立を果たしアフガニスタン王国が誕生するのだ。

それから50年以上経った1973年、王政から共和政に移行するが、政府に対する不満は高まり、1978年にクーデターが勃発する。そうして各地で反政府活動が行われ、政府はソ連に助けを求め、1979年にソ連軍が侵攻してくるのである。

10年後にソ連軍は撤退するが、反政府ゲリラ・ムジャヒディンは政府を倒すために戦闘を継続し、1992年、彼らはついに首都カブールを制圧するのである。

しかし、各派間の主導権争いによって1994年頃から新たにタリバンが勢力を伸ばす。

そして2001年、アメリカ同時多発テロの首謀者オサマ・ビンラディンをタリバンが庇《ひ》護《ご》しているとの理由でアメリカなどがアフガニスタンに軍事介入を開始し、タリバン政権は崩壊し、２００２年にはカルザイ暫定政権が誕生するのだ。長く続いた戦争は人々を疲弊させただけでなく、多くの文化遺産も葬ってしまったのである。

その後も、治安についての権限がアフガニスタンに移されるなど、安定化に向けて動いているが、依然としてテロが発生するなど先行きは不透明だ。

北京〈中国〉
中国の覇権の興亡を見つめ続けた街

■５０００年の歴史を刻む文化遺産

広大な国土と世界最大の人口を持つアジアの大国、中華人民共和国。その首都・北京は日本の四国とほぼ同じ面積という、街と呼ぶにはあまりに大きな都市である。

ただ広いというだけではない。北京には中国５０００年の歴史を刻む数々の文化遺産が点在し、すべてを見ようと思えば、相当な日数を要することを覚悟しなければならない。

郊外にはあの北京原人の骨が発見された周口店や、月から確認できる唯一の人工建造物といわれる万里の長城、明代の皇帝が眠る陵墓などもあり、中国の悠久の歴史を随所で体感することができる。

そして北京最大の見どころといえば、市街の中心に威風堂々と居を構える「故宮《こきゅう》」とその前に広がる「天安門広場《てんあんもんひろば》」だ。

故宮は中国の中でも最大規模の建築物であり、その正門である天安門の前に造られた広場は収容人数が50万人を超える。これもまた世界最大規模の広場である。

これらは北京という街のスケールの大きさを象徴するだけでなく、北京で繰り広げられた皇帝たちの栄枯盛衰を見つめ、中華人民共和国誕生の主要な舞台となってきた。

■繁栄の象徴としての紫禁城

13世紀、北京は「大都」と呼ばれ、元朝の都だった。やがて元朝を支配していたモンゴル民族が北方に追放され、漢民族の明が成立すると3代皇帝の永楽帝《えいらくてい》はこの街を北京と改称して、宮殿として紫禁城《しきんじょう》を造営した。

この紫禁城こそが現在の故宮で、このあとの約500年近く明・清代の皇帝の居城となる。

明代には14人の皇帝が、そして清代に入ると10人の皇帝がこの紫禁城で皇帝として君臨した。

最盛期には直轄領、藩部、属国を合わせると、清の勢力は朝鮮やヴェトナムまでをも含むアジアの広い地域に拡大する。北京はその中心であり、紫禁城は繁栄の象徴であった。

だが、そうした皇帝たちの栄華にも終わりの時が訪れる。清はアヘン戦争を機に弱体化していき、帝国主義列強の侵略を受け、さらには太平天国の反乱に手を焼いて衰退していくのだ。

そして清朝打倒を掲げて起きた「辛亥《しんがい》革命」により、中国は激動の時代に突入していったのである。

■2000年以上続いた帝政の終焉

1911年、清朝が外国からの借款導入のため鉄道国有化を発表すると、それに反対する民衆運動が四川で起こり、これを機に武昌《ぶしょう》で軍隊が蜂起して「辛亥革命」が勃発する。

反乱は瞬く間に各地に広がって、1カ月後にはほとんどの省が革命軍の勢力下に入って独立し、翌年1月、革命の中心的人物だった孫文《そんぶん》が臨時大総統となりアジア初の共和政国家、中華民国が南京で建国される。

清朝は革命軍を鎮圧するため軍人の袁世凱《えんせいがい》を起用して総理大臣とし、全権を委任して革命軍との交渉に当たらせた。

だが、この袁世凱が曲者だった。彼は革命軍に持久力がないことを察知すると、自らを臨時大総統にするよう革命軍と取引をしてしまう。その交換条件はなんと、清朝皇帝の退位というものだった。

こうして映画『ラストエンペラー』でも知られる、当時わずか6歳だった宣統帝《せんとうてい》（溥《ふ》儀《ぎ》）は退位を余儀なくされ、清朝約３００年の歴史に幕が下りるのである。それは同時に秦の始皇帝以来、２０００年以上も続いた帝政の終わりの時でもあった。

■中華人民共和国の誕生から天安門事件まで

その後、袁世凱は中華民国政府を北京に遷し、独裁体制を築こうと試みるが失敗する。そして4年後には病死し、中国は軍閥が割拠する混乱の時代へと突入するのだ。そうして辛亥革命の主力だった国民党と、その後に成立した中国共産党の抗争が激化していく。

時には軍閥や中国進出を企む日本と戦うために国共が合作することもあったが、共通の敵を排除すると争いは再開した。

この戦いはほとんどの場面で国民党が優勢だった。国民党にはアメリカという強力な後ろ盾がいたからである。

しかし、国民党は最後には敗北する。アメリカの援助は国民党上層部を豊かにはしたが、国全体をうるおすことにはつながらなかったのだ。

一方の共産党は得意のゲリラ戦で勢力を増し、長引く内戦のためにインフレに苦しみ、国民党政府に不満を抱いていた民衆の心を掴んでいく。やがて人民解放軍と称した共産党軍は天津を占領したのを皮切りに、ついには中国全土の解放に成功する。

そして1949年10月、毛沢東《もうたくとう》は天安門の上で建国を高らかに宣言する。毛沢東を主席、周 恩来《しゅうおんらい》を首相とする中華人民共和国が誕生したのだ。こうして天安門は北京の、さらには中国の象徴となるのである。

その40年後の1989年、民主化を要求する学生や労働者に政府軍が天安門で発砲した。数千人の死傷者を出すという惨事が起こってしまう。天安門は今もなお中国史の表舞台であり続けているのである。

現在の中国は大きな発展を遂げ、世界経済を左右するほどの力を持った。北京は、まさにその中心地として、大きな役割を持つ都市へと発展したといえる。

ソウル〈韓国〉
ソウルが首都に選ばれた地形的理由とは？

■600年以上首都であり続ける街

韓国の首都ソウルはアジアの大都市のひとつである。

この街をまるで二分するように真ん中を縫って流れている川が漢江《ハンガン》である。ソウルの街はこの漢江を隔てて、北側の江北、南側の江南というふたつのエリアに大きく分かれている。

江北には景福宮《キョンボグン》をはじめ、宗廟《チョンミョ》や南大門など李氏朝鮮時代の建造物が集まり、韓国の生の歴史に触れることができる。一方、江南では最先端の施設が建ち並び、近代都市ソウルを実感することができるのだ。

古い王都であり、今もなお首都として発展し続けるパワフルな街、ソウルの名前は「都」という意味だ。そしてその名のとおり、この街は幾多の激動の歴史をくぐり抜けながらも600年以上も都であり続けてきたのである。

■李氏朝鮮の誕生とともに

ソウルがある漢江流域は古くは先史時代から人が住みつき、百済時代には漢城《ハンソン》と呼ばれていた。その後、統一新羅《しらぎ》時代に漢山州《ハンサンジュ》、漢州《ハンジュ》、漢陽郡《ハニャングン》などと呼ばれ、高麗《こうらい》時代には楊州《ヤンジュ》、南京《ナムギョン》、漢陽と名前を変えていく。

その高麗時代のソウルはまだ首都ではなく、この時代は開京《ケギョン》（現在の開城《ケソン》）に都が置かれていた。だが、それがある政変を機にソウルが首都にとってかわることになる。

当時、隣国の中国では朱元璋《しゅげんしょう》が元を倒して明を建国、元に服属していた高麗王朝も親元派と親明派に分かれて対立するようになっていた。そんな矢先に、明が北方にある高麗の土地を差し出すよう命じてきたのである。

高麗国王はそれに抗して、中国との国境の川・鴨緑江《アムノック》に高麗軍を送り込んだ。

その軍隊の中に、李氏朝鮮王朝の創始者となる李成桂《イソンゲ》がいた。李成桂は倭寇襲来の際に功績をあげて実力をつけていた武将である。彼は勢いがある明軍の実力を推察して、明との戦いを回避したいと考えていた。

そこで李成桂は途中、軍隊を引き返して都である開京に進撃し、王宮を占拠してクーデターを起こす。これにより高麗王朝は滅び、1392年、李成桂は自らが王となって李氏朝鮮王朝を建国するのだ。

そして、それに伴い李成桂は首都を漢陽に遷し、名前を漢城と改称した。この漢城こそ、現在のソウルなのである。

■ソウルが首都に選ばれた意外な事情

李成桂が漢城を都に選んだのは、その地形に理由が隠されている。まず、北岳山《プッガクサン》など山に囲まれ軍事的に防衛しやすい地形にあったことと、もうひとつは豊かな水流をたたえる漢江の存在だ。

そのどちらも王都の発展に欠かせないものであり、この地形の利を活かして李成桂は都を築いていったのである。

北岳山の麓に壮麗な王宮である景福宮を建設し、城の周囲に城壁を構築。さらに、要地には城門を建てて防備を固めていった。現在は市場で有名な南大門や東大門もこの時に建てられたものだ。

こうして堅固な守りの美しい街に変貌していった漢城はそのかいあってか、この後1910年に日本に併合されるまで500年以上も李氏朝鮮王朝の都として栄えるのである。

そして、日本の統治時代には京城、第2次世界大戦後に朝鮮半島が二分されてからはソウルと改称し、現在に至っている。

街を抱くようにそびえる山々と漢江の雄大な流れの恩恵の受け、ソウルはこれからも韓国の政治・経済の中心地、文化の発信地であり続けるだろう。

4章

その"街"で、一体何が起きたか

〈ヨーロッパ編〉

アテネ〈ギリシア〉
守護神アテナに見守られる西欧文明の発祥地

■今と昔が混在している街

１８９６年に第１回近代オリンピックが開かれ、２００４年には１０８年ぶりに開催地となったアテネは、ギリシアの政治経済の中心であり、近代建築が建ち並ぶ大都市である。街のそこかしこに歴史的建造物や遺跡が現存し、ヨーロッパ文化の発祥地であることを悠然と物語っている。

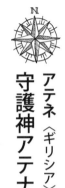

それをもっとも象徴する建造物が、アクロポリスの丘にあるパルテノン神殿である。アテネの中心街はこのアクロポリスの丘から北東に広がり、神殿は街を見守るようにそびえ立っている。パルテノン神殿には街の守護神アテナが祀られ、長い間にわたって街を見守ってきた。

しかし、この丘に最初に建てられた神殿は現在のパルテノン神殿ではない。前6世紀頃に最初に建てられたそれは、ペルシア軍により無残にも破壊されてしまったからだ。いったいアテネに何があったのだろうか。

■ペルシアの大軍にアテネが打ち勝った理由

時は前500年に遡る。当時、ギリシアではポリスと呼ばれる独立した都市国家が乱立し、勢力争いを繰り広げていた。なかでもアテネは活発な商業活動を行い、それまでの僭《せん》主《しゅ》政治を打倒して民主政を実現していたポリスだ。

一方、東方ではペルシア帝国がオリエントを統一して勢いをつけていた。そのペルシアに対し前500年、植民市のミレトスが反乱を起こす。この時、アテネがミレトスを支援したことからペルシア戦争が始まったのである。

そして、俄然優勢かと思われていたペルシア軍をアテネは単独で応戦して「マラトンの戦い」に勝利を収めてしまう。この勝因のひとつは、市民で構成された重装歩兵の活躍だったといわれている。騎馬兵が中心のペルシア軍は彼らに翻弄されたのだ。

その後、再び陸海軍を率いて侵攻してきたペルシア軍にアテネ海軍は「サラミスの海戦」で勝利する。続いて陸上でもスパルタと連合を組んでプラタイアで勝利を収める。

オリエントの専制君主国ペルシアの侵攻に、自由都市アテネはついに打ち勝ったのである。

■パルテノン神殿はアテネの歴史とともに

これによりアテネは、エーゲ海周辺の何百ものポリスを支配し、勢力を拡大していった。市民の立場もペルシア戦争後に大きく変わり、彼らが重装歩兵や軍艦の漕ぎ手として活躍したことにより、それまで貴族が独占していた重装騎兵による軍隊が衰退し、貴族を中心とした政治に動揺をきたしたのである。

市民は以前よりも発言力を増し、政治に参加するようになってアテネの民主政は確立されていった。そして、アテネ以外のポリスにも民主政は普及していき、新しい時代への扉が開いたのである。この民主政は現在と異なる点も多いが、のちの近代ヨーロッパの民主主義に大きな影響を及ぼしたことは間違いない。

現在のパルテノン神殿は戦争中に破壊されてしまった神殿に代わり、戦争の勝利の感謝を込めてこのアテネの黄金期に再建されたものである。

やがてアテネの民主政は腐敗し、スパルタとの抗争に敗れてからはアテネに長い苦難の時代が訪れる。マケドニアやローマ帝国、さらにオスマン・トルコによる支配の時代が到来したのだ。

しかし、パルテノン神殿はその間も破壊や老朽化に耐え、街の変遷を見つめ続けてきた。

そして、近代都市となった今もアテネのシンボルとして佇《たたず》んでいる。

ローマ〈イタリア〉
〝永遠の都〟にいまも残る栄光の記憶

■「すべての道はローマに通ず」

世界中から訪れる観光客で1年中賑わいをみせるローマ。約4キロメートル四方の城壁に囲まれた街の中心は、寺院など荘厳華麗な建築物が建ち並び、映画『ローマの休日』の舞台となったスペイン広場やトレヴィの泉もあって、まさに名所旧跡が密集したエリアである。

なかでも観光客の目を引くのが、古代ローマの遺跡である。フォロ・ロマーノやコロッセオなど有名な遺跡が街のほぼ中央から南側に点在している。その壮大かつ威厳のある佇まいは、古代ローマ帝国の繁栄と権力をまざまざと見せつけてくれる。

かつてローマは「すべての道はローマに通ず」といわれたほど世界の中心都市であった。地中海の一小都市に過ぎなかったローマがなぜ、ここまで大帝国に発展することができたのだろうか。

■1世紀に及ぶ内乱に終止符を打ったカエサル

ローマはもともとラテン人によってつくられた都市国家だった。前6世紀末にエトルリア人の王を追放して共和政を樹立。貴族と平民が争いながら共和政を発展させる。

その一方で、対外的には周辺の都市国家を次々と攻略し、前3世紀にはイタリア半島をほぼ統一してしまう。しかも、征服した都市を分割統治するなど、巧みな統治政策を行って大帝国形成への足固めを強固なものにしていった。

さらに、前146年にはフェニキア人の植民市カルタゴを奪取し、ほぼ同時期にマケドニアとの戦争にも勝利し、一気に領土拡大政策を加速させていったのだ。

しかし、戦争が長引いたことなどから共和政に危機が訪れ、前2世紀末からは内乱状態に陥ってしまう。この内乱を前1世紀半ばに終結させたのがカエサルである。彼の登場がローマを大帝国へと導いていくのだ。

カエサルは名家の出身にもかかわらず平民派の政治家である。彼は大富豪のクラッススと海賊討伐で功をたてたポンペイウスと手を結び、元老院に対抗して議会を掌握する。

さらにカエサルは現在のフランスにあたるガリア地方へ赴いてケルト人を平定し、続いてゲルマニア、ブリタニアにも赴いて戦果を重ねて民衆の支持を集めていった。

しかし、しだいにポンペイウスはカエサルを警戒するようになる。前53年、クラッススが戦死すると、両者はさらに溝を深め、ポンペイウスはカエサルがガリアへ遠征中に元老院と手を組んでしまう。そして、カエサルに軍隊の解散とローマへの帰国を命じたのである。

カエサルは苦悩する。軍隊と離れてローマに帰れば殺される危険がある、かといって軍隊を率いて戻れば反逆者となってしまうだろう。

だが、カエサルはついにローマへの進撃を決断する。あの有名な「賽《さい》は投げられた」という言葉はこの時のものだ。かくしてカエサルは軍隊とともにローマ国境にあるルビコン川を渡り、ローマに入って勝利を収め天下を平定するのである。

勢いにのった彼は貧民の救済や属州の政治改革などを行い、ローマ共和政の変革を推進していく。同時に自身が終身独裁官となって権力を一点に集中させて独裁体制を築く。この独裁体制が、のちの帝政ローマ誕生の礎となっていったのだ。

■街に遺されたローマ帝国の栄光の痕跡

だが、カエサルの独裁に元老院は危機感を抱き、彼は共和派のブルートゥスらによって暗殺されてしまう。

ローマは再び混乱に陥るが、カエサルの養子であるオクタヴィアヌスが政争に勝利して天下を統一し、前27年に元老院からアウグストゥス（尊厳者）の称号を与えられる。オクタヴィアヌスは共和政の伝統を尊重したが、事実上は皇帝として独裁政治を行い、ここに、ついに帝政ローマが誕生するのである。

以後、ローマは約200年にわたって全盛を極め、領土を拡大していった。ローマの市民権もそれに伴い拡大していき、多くの都市が領土内に建設されることになる。そのなかにはロンディウム（ロンドン）やルテティア（パリ）などもあり、ローマ帝国がヨーロッパ世界に与えた影響の大きさを窺《うかが》い知ることができる。

しかし、この大帝国にもやがて陰りが見え始める。２世紀末からは国内に混乱が続き、やがて３９５年には東西に分裂する。東ローマ帝国はその後１０００年近く続くが、内乱の激しかった西ローマ帝国は４７６年には滅亡してしまうのだ。

長い年月が経った今、ローマ帝国時代の建造物はかつての繁栄を街のいたるところで思い起こさせてくれる。訪れた人々はカエサルの野望やオクタヴィアヌスの栄光に思いを馳せ、壮大な歴史を感じとるに違いない。

ローマは永遠の都として、今も変わらず人々の心を惹きつけている。

バチカン〈バチカン市国〉
２０００年の時を重ねたカトリックの総本山

■世界一小さく世界一美しい国家

バチカン市国は世界一小さな独立国家である。その面積は日本の皇居の半分以下で、ローマ市内を少し歩いていればそのまま国境に辿り着いてしまうほどだ。世界広しといえどバチカンほど特異な国はない。

国家でありながら首都はなく、入国にはパスポートの提示も必要ない。しかしながら立法、行政、司法は完全に独立しており、その全権を担っているのがローマ教皇である。すなわち、バチカンはキリスト教・カトリック教会における最高機関なのである。

バチカンで特筆すべきはその国家形態だけではない。サン・ピエトロ広場を中心に建つ宮殿や大聖堂などの華麗な建築物、そしてシスティーナ礼拝堂に描かれたミケランジェロの『最後の審判』や壁画『アダムの創造』といった芸術作品の数々――。

これらの〝所有物〟で構成される街は歴史的に貴重なだけでなく、世界でもっとも美しい街のひとつとして名を馳せているのである。

■すべては聖ペテロの死から始まった

バチカンの歴史は西暦67年にまで遡る。当時のローマ帝国は皇帝ネロによる宗教弾圧の嵐が吹き荒れ、キリストの12使徒のひとりであるペテロが円形競技場で処刑された。

キリスト教徒たちはペテロの死体が捨てられた丘の上に聖堂を建て、その後も密かに礼拝を続ける。そして313年、コンスタンティヌス帝の「ミラノ勅令」により、キリスト教は長かった弾圧から解き放たれ、ついに正式に公認された。

皇帝はペテロが眠る丘の聖堂をバシリカ（大聖堂）に建て替えるよう命じた。この丘のあった場所、つまりバチカン市国のすぐ脇を流れるテヴェレ川の西岸こそ、バチカン発祥の地なのである。以来、この地は教皇が権限を持つカトリックの中枢として信者の精神的支柱となっている。

７５６年には、フランク王国の国王ピピンが教皇ステファヌスに土地を献上したこと（ピピンの寄進）に始まる「教皇領（法王領）」が誕生した。１３０９年にはフランスが教皇庁をアヴィニョンに移すという事件が発生したが、１３７８年にはローマへの帰還を果たしたのだ。

その後の歴代教皇たちは、ルネサンスやバロックといった芸術へのパトロンでもあった。現存する絢爛《けんらん》豪華《ごうか》な建築物はまさにその象徴であり、ほとんどが15～17世紀の間に建てられたものだ。

カトリックの総本山として確固たる地位を築いたバチカンだが、国家として容認されるまでは険しい道のりがあった。19世紀後半、教皇の世俗化が取り沙汰され、バチカンの権威は失墜していた。１８７０年にイタリアがローマを併合して国家として独立すると、バチカンの教皇領にも侵入したのである。

　教皇ピオ9世は自らを「バチカンの囚人」と訴え、聖域の復活とともに教権の独立を主張した。この問題が解決するまでには実に60年の年月が費やされ、ついに1929年のラテラン条約によりバチカンの独立が承認されたのである。

　ペテロの墓所に建てられたバシリカは「サン・ピエトロ大聖堂」として生まれ変わり、今もカトリックのシンボルとしてそびえている。

　教皇領を手放す代わりに独立国家となったバチカンは、現在では世界遺産に選ばれ、カトリックの至宝として多くの人々に愛されている。

パリ〈フランス〉
世界史上の大事件の舞台となった街

■「門」がつく地名が多いのはどうしてか

　まだ「パリ」という街がなかった頃、セーヌ川に浮かぶシテ島にパリシイ族という部族が住んでいた。前53年カエサルに率いられたローマ軍がこの地を攻めた時、これに抵抗してこの地を守ったのがそのパリシイ族だった。パリの名前は、その部族名にちなんで誕生している。

中世以降、パリは外敵から守るための城壁を巡らせた。城壁の内側は人口が増え、街が広がるたびに壁は取り壊され、さらに大きな城壁へと造り変えられていった。

そのためか、現在のパリの街には「門」がつく地名が多い。街を拡張した時に取り壊された城壁の門の名前がそのまま残っているからだ。

現在はセーヌ川をはさんで左岸は官庁街とパリ大学を中心にした文教地区、そして右岸は金融機関や各種企業、商業地区が広がっている。いずれも古い街にふさわしく老朽化した建物が多く、近年は大改造計画による建て替え工事が盛んだ。

そのパリは何度も大きな歴史の転換の舞台となった街である。典型的な中世都市として栄えたパリだが、権力をめぐる抗争に晒《さら》され、ルネサンスの洗礼を受け絶対王政のもとで人々は苦しんだ。

その後、活躍したのがナポレオンだが、なかでも世界中が驚愕した事件が「フランス革命」である。

■パリの王宮に攻め入った民衆

華やかな貴族社会と絢爛豪華な文化で知られる中世のフランスだが、富と権力はごく一部の王侯貴族だけのものだった。

国民の9割以上を占める平民には参政権もなく、重税が課せられ貧困にあえいでいた。パリの街では狭い住居に大勢の人々が肩を寄せ合って暮らし、食糧も乏しいうえに、上下水道の設備もなく衛生状態は劣悪だった。

民衆の不満は蓄積され、いつ爆発しても不思議ではない状況のなか、1775年に「アメリカ独立戦争」が起こる。パリ市民は、このできごとに大きな影響を受けた。

折りしも財政難により政府は新たな税制を検討しようとしていたが、この話し合いには平民の参加が許されなかった。激怒した平民代表が新たな憲法制定を求めて国民議会を成立させると、国王はこれを武力で押さえ込もうとした。

そこで民衆は立ち上がり、バスティーユ牢獄へ向かって行進を開始した。当時、この牢獄には政治犯などが投獄されており、圧制の象徴とみなされていたのだ。これをきっかけに国内のあちこちで暴動や農民一揆が起こり、国内は混乱をきわめた。

これを見た国民議会は封建的特権の廃止を宣言し、さらに「人権宣言」を採択して立憲君主による新しい国家体制をめざそうとした。

こうした動きを弾圧しようとして失敗した国王は国外逃亡を企てたが捕えられ、1791年9月、立憲君主制を定めた新憲法が制定される。

しかし、その後の立法議会で主導権を握ったのは、立憲君主主義のフイヤン派ではなく穏和共和主義のジロンド派だった。

この頃、オーストリアはフランス国内の革命を打倒するためにプロイセンと手を結んで侵攻を開始した。これに対してジロンド派は宣戦布告、パリでは民衆と義勇軍が立ち上がって王宮を攻め、国王はついに投獄された。これをもって王政は完全に終焉を迎え、第一共和政の社会体制が誕生したのだ。

その後、新議会では急進派のジャコバン派が権力を握り、その中心人物のロベスピエールは国王の責任追及を迫った。そして1793年1月、ルイ16世はギロチンによって処刑されたのである。

こうして王政は終わったものの、民衆の生活がすぐに向上したわけではない。パリでは相変わらず食糧要求のデモが繰り返されていた。

そんななかでロベスピエールは革命への反対派を次々と処刑して国民の恐怖を煽ったために民衆の反感を買って失脚、自身も処刑された。ジャコバン派に代わって実権を握った穏和共和主義派も国内をまとめることはできず、それを収拾するべく民衆が期待をかけたのがナポレオン・ボナパルトであった。

■ナチスドイツ占領で街の様相は一変した

フランス革命は国民の思惑とは異なる展開となったが、その抵抗の精神は、第2次世界大戦中のナチスドイツによるパリ占領の際にも見ることができる。

1939年のポーランド侵攻により第2次世界大戦を引き起こしたドイツは、翌40年にはフランスに侵入してパリを占領した。41年にはフランスに「名誉ある休戦」をめざすヴィシー政権が成立し、パリ市民はドイツ占領下の生活を強いられる。

戦争当時のパリの人口約500万人のうち半数以上はドイツ侵攻前に脱出していたため、占領下のパリには約200万人の市民が残っていた。彼らは生活や移動を規制され、商業活動もほとんど行われなかった。

夜は灯火管制が敷かれ、常にドイツ兵による監視の目が光っていた。占領下の約4年間、華やかな活気にあふれたパリの様相が一変したのである。

■戦後フランスの再生の象徴として

しかし、民衆の中ではすでにドイツへの抵抗の機運は高まっていた。対独抗戦組織を率いたのは40年にドゴールがロンドンで樹立した「自由フランス政府」である。

最初は少数だった同調者も日ごとに増加していき、レジスタンス活動を指導してフランス国内での対独抵抗運動を広げていった。このナチスドイツへの地道な抵抗が、44年にドゴールが率いる自由フランス軍がパリ進入を成功させ、ドイツ軍によるパリ占領に終止符が打たれるのである。

そして戦後はフランス再生を象徴する都市として発展し、古い建築物が多いパリ市内には斬新な意匠をこらした新しい建築物が次々と建てられ、一時は「パリ大改造」といわれるほどの建築ラッシュが続いた。

だが街の景観は変わっても、その華やいだ雰囲気とパリを愛する市民の気持ちは今も変わらない。

ベルリン〈ドイツ〉
全長160キロの壁で分断された東西冷戦の舞台

■ブランデンブルク門が見た栄枯盛衰

ドイツの首都で最大の都市であるベルリン。街の中央を東西に貫く「6月17日通り」は、観光客が一度は訪れる名所として1年中人の流れが絶えることがない。

その中心にある「ブランデンブルク門」は、18世紀の建築家ラングハンスがアテネの神殿をモチーフにして造ったもので、頂上には勝利の女神ヴィクトリアを乗せた4頭立ての2輪馬車を戴いている。

今ではドイツ古典主義を代表する建造物として紹介される観光の名所だが、30年前までは、この建物は東西冷戦の象徴であったベルリンの壁に唯一存在する門として知られていた。

新興都市から今日の繁栄に至るまで、ブランデンブルク門は首都ベルリンの栄枯盛衰を静かに見届けてきたのである。

■逃げ出す市民を封じ込めるための一手

第2次世界大戦でヒトラーに率いられたナチス・ドイツ軍はヨーロッパ諸国を侵略し、広大な領土を手に入れようとした。しかし、アメリカ・イギリスの連合軍とソ連軍によって東西から反撃され、1945年5月7日に無条件降伏に至る。

問題はそのあとだった。「ヤルタ会談」で結ばれた協定により、ドイツの東側はソ連軍が、西側は連合軍によって分割占領され、首都ベルリンは東西に分けられて共同管理されるようになったのだ。

そしてその後、占領統治した国の政治体制の違いにより、西ドイツと東ドイツはふたつのまったく異なる体制によって統治されることになる。

危機感に駆られたのはベルリンの東側に住む市民だった。急速に社会主義化されることを恐れた人々は、こぞって自由のある西側に亡命を始めるのである。

すると、国家建設に必要な人材が亡命で流出していくのを目の当たりにした東ドイツは、1961年8月13日、鉄条網による壁を一晩で造り上げて市民を東側に閉じこめてしまったのである。

やがて鉄条網は高さ4メートル、全長約160キロメートルのコンクリート製の壁となり、監視塔が設置され、壁を越えようとした者には容赦なく射殺命令が出された。

■ベルリンの壁崩壊の知られざる顚末

だが、ベルリン市民の自由を奪った壁は建設から28年後に崩壊する。壁に阻まれた人々は第三国経由で西側への亡命を始め、しだいに壁を有名無実化していったからだ。

1989年11月9日、東ドイツ政府は国際的な圧力もあり、友好国にこれ以上迷惑をかけられないことを理由に、国民に対して西側を含むすべての外国への旅行を制限しないことを発表する。もはや危険な亡命をせずとも自由に西側諸国へ出ていけるようになったのだ。

東ドイツ政府の狙いは出国ビザを発給し、統制ある海外旅行をさせることだった。しかしベルリン市民はこの発表を聞くや続々と集まっては国境の検問所を撤去し、自分たちを閉じ込めていた壁の破壊を始めた。もはや市民の行動を押し止めることは誰にもできなかったのだ。

そしてその1年後、東ドイツの政治体制が崩れると、東ドイツは西ドイツに編入され、ドイツは再びひとつに統一されたのである。

ひとつの都市が壁で分断されるという状態は、東西冷戦の象徴ともいわれた。だからその壁の崩壊は、東西冷戦の時代が終わるきっかけにもなった。ベルリンを訪れた人は、今でもその冷戦時代の痕跡を見ることができる。

壁が崩壊するまでの間に、２３９人もの尊い命が失われた。この街の市民はもう二度と国を分け隔てる壁を見ることはないだろうが、引き裂かれていた時代の記憶は今も消えることはない。

マドリッド〈スペイン〉
「スペイン内戦」の知られざる顚末とは？

■歴史と文化の街が戦場になった日

イベリア半島のほぼ中央部に位置するのが、スペインの首都マドリッドだ。政治、経済の中心地であり、歴史と文化を育む大都市である。

その一方で、中世の歴史的な遺産を残す石畳の小径や、緑豊かで広大な公園には美術館や博物館があり、それらが街を形成する大きな要素になっている。

しかし、マドリッドの街にはこうした文化・芸術的な側面だけでなく、ファシズムとの戦いという、もうひとつの激しく熾烈な歴史的側面が隠されている。

1931年、世界恐慌を背景にそれまでの王政が倒れると、地方選挙を機にスペインは共和国を宣言する。しかし、共和国政府は土地改革などの諸問題を解決できず、国内は資本家や軍部などの右派と、農民や労働者階級などの左派に分かれて政治は不安定になってしまう。

労働者のストライキとそれに対する政府の弾圧が繰り返されるなかで、労働者陣営は統一を進め、1936年2月の総選挙で社会党や共産党からなる「人民戦線」が政権を勝ち取ることになる。

だが、これがスペイン内戦の発端になった。人民戦線政府に反対する右派のフランコ将軍は軍部を中心に同年7月、スペイン各地で反乱を起こす。フランコは当初、軍事力にものをいわせて短期決戦でクーデターを成功させるつもりだったが、内戦は政府側の反撃にあって予想以上に長期化していく。

この最後の舞台となったのがマドリッドだ。首都は爆撃機による攻撃を受け、軍部によって包囲された街はすぐにでも陥落するかのように見えた。だが市民たちは商店や映画館を閉ざすとバリケードを築き、防空壕を造った。首都防衛に市民総出で取り組んだのである。

内戦は世界も注目した。当時、ヨーロッパは第2次世界大戦へと向かう不穏な空気に包まれていた。ドイツはヒトラー率いるナチスが「ヴェルサイユ条約」の破棄を唱えて再軍備を始めており、イタリアも台頭するファシズムによってエチオピアへの侵略を本格化させていたのである。

ドイツ、イタリアは公然とフランコ将軍を支援し、これに反対するソ連は共和国政府を支持、さらにイギリスとフランスは不干渉政策をとった。

各国の自由主義者や社会主義者が国際義勇兵として共和国政府に駆けつけ、内戦は一国の問題を通り越し、ファシズム対人民戦線の戦いとなったのである。

内戦はフランコ将軍の勝利で終わりを告げたが、血生ぐさい戦闘は2年半にわたって続き、フランコ将軍は力によって左派を屈服させると1939年3月、スペインに一党独裁体制を敷くのだった。

敗北した政府側にも問題があった。政権を握った人民戦線は社会党や共産党などの寄り集まりだったため、常内で内部分裂を起こしており、政権自体は弱体だったのだ。

戦後、フランコ政権は国際的に一時孤立するが、それでも東西の冷戦をうまく利用しながら生き延び、１９６０年代に経済の高度成長を実現させるとしだいに独裁政治も緩和され、１９７５年にフランコ将軍が死去すると民主化が加速されていった。

マドリッドには大広場がいくつもあるが、家族連れで賑わうその場所に立つと、内戦を戦った市民たちの勇姿を思い浮かべずにはいられない。

サンクトペテルブルグ〈ロシア〉
世界を揺るがせた「ロシア革命」の震源

■独特の景観を持つようになった理由
ロシアは17世紀初めから名門貴族ロマノフ王朝によって支配されていた。なかでも大きな影響力を持ったピョートル1世はヨーロッパからの外敵に備えるための都市が必要と考えて1703年にペテルブルグを建都し、1712年にモスクワから遷都した。これが現在のサンクトペテルブルグである。

さらに、ピョートル1世以降は大きな権勢をふるったエカテリーナ2世や、ニコライ1世が自分の意思を色濃く反映させた都市整備を行い、結果的にこの街は欧風で独特の景観を持つようになった。また、ネヴァ川と多くの水路により「水の都」ともいわれ、ロシア国内の他の都市とは趣の異なる街となった。

サンクトペテルブルグは約2世紀にわたってロシアの首都だったが、20世紀に入って国家を揺るがす大事件の舞台となり、首都の座をモスクワに明け渡すことになる。その大事件とは、「ロシア革命」である。

■ロマノフ王朝の崩壊と新政治体制

ロマノフ王朝の支配のもとで帝国主義国家として発展していったロシアだが、国民は重税に苦しみ、貧しい生活を強いられていた。その不満がついに爆発し、1905年1月に14万人もの労働者が皇帝に請願書を提出するために冬宮へ行進を開始した。

ところがこの民衆に向かって軍隊が発砲、2000人以上が死傷した。この「血の日曜日事件」をきっかけにして、各地で工場のストライキや農民一揆が起こるようになり、ロシア革命が始まるのだ。

この革命により国内に「ソヴィエト」(革命を進めるために選挙で選ばれた労働者と兵士の代表評議会)が結成され、変革の大きな力になっていく。

折りしも、ちょうど第1次世界大戦が勃発し、物資不足を招いて国民はますます不満を募らせた。

ペトログラード(大戦開始後に改称)では約20万人の労働者がデモやストライキを行って戦争反対、専制打倒を叫び、食料品店を襲った。

この動きにペトログラードの軍隊も同調して革命側に加わり、多くの政府要人が逮捕されて、首都は労働者と反乱軍によって占拠されたのだ。

これを受けて再びソヴィエトが活発化し、1917年3月に起こった「三月革命」によりニコライ2世は皇帝の座から引きずり降ろされた。ここにロマノフ王朝は崩壊し、ロシアの新しい時代が始まった。同時に立憲民主党を中心とする臨時政府が設立され、ソヴィエトとの二重権力による体制づくりが進められる。

この動きのなかで台頭してきたのがレーニンだった。ボリシェヴィキ（ロシア民主労働党左派）の指導者レーニンは戦争遂行にこだわる臨時政府を批判し、すべての農民や労働者の代表によるソヴィエト共和国の樹立を主張する。もちろん、ソヴィエトはこのレーニンを支持した。

このような状況のなかで、レーニンはボリシェヴィキを率いて臨時政府を打ち倒し、新政府を樹立した。これが１９１７年11月に起こった「十一月革命」である。

レーニンは新政府における最高権力者となり、ここに社会主義国ソヴィエト連邦が誕生したのである。

■首都の地位を明け渡すことになった経緯

強大な社会主義国家誕生のニュースは世界中を震撼させた。特に第１次世界大戦後の世界において、ソヴィエト連邦は多くの国々の国家体制に影響を与え、社会主義と資本主義との対立の構図を生み出した。

これほど大きな革命の舞台となったペトログラードだが、翌18年には再びモスクワに遷都された。あまりにも国境に近いため、国防上の理由から首都としてふさわしくないと判断されたのだ。

なお、この街は名前が何度も変えられたことでも知られている。ピョートル大帝が建都した時は「サンクト・ピーテルブルッフ」という名称だった。これはロシア語の「サンクト」(聖なる)と、オランダ語の「ペテロ(ピョートル)の市」を組み合わせた名称である。

その後、1825年にこれをドイツ語風に読んだ「サンクトペテルブルグ」に改称されている。

しかし1914年になると、「ブルグ」という言葉は、第1次世界大戦の敵国であるドイツの言葉だという理由から、スラブ語の読み方「グラード」を組み合わせた「ペトログラード」になった。

さらに1924年には、ロシア革命の中心人物のひとりであるレーニンにちなんだ名称として「レニングラード」に変更されたのである。

その後、ソヴィエト連邦崩壊後の1991年に住民投票が行われ、かつての名称であった「サンクトペテルブルグ」に戻されたのである。

この街の名称の変遷には、この街の激動の歴史が反映されているともいえるだろう。

プラハ〈チェコ〉
「プラハの春」が持つ世界史上の"意味"とは？

■美しい街を襲った戦車の轟音

「百塔の街」と呼ばれるプラハは、至るところで中世の面影を残す高層建築物が見られる美しい街である。

神聖ローマ帝国の帝都として栄えた、14世紀に建てられた後期ゴシック様式の建造物と、15〜18世紀にかけて建てられたルネサンス、バロック、ロココ様式の建造物とが混在し、歴史が綾なす景観を見せている。

その一方で、プラハは工業都市でもある。市の中心を流れるモルダウ川の西側にプラハ城を中心に貴族文化が栄えたのに対し、東側には19世紀以降工業地帯とそれに伴う住宅街が庶民文化を形成してきた。

ところが、かつてこの街に戦車の轟音《ごうおん》が響き渡ったことがある。市民を恐怖に陥れたその事件が起こったのは1968年、世に言う「プラハの春」の終焉だった。

■民主化の動きを封じたソ連

第2次世界大戦後、東欧諸国はソ連に支配され、共産党政権による社会主義国家建設の道をたどっていた。チェコスロバキアも共産党の一党支配体制が続いていた。

ソ連型社会主義は「スターリン化」ともいわれ、社会全体を停滞させるものだった。悪名高き「粛清」のもとに一般の国民はもちろん、共産党員でさえも国家への反逆罪で逮捕され、処刑された。反逆者の烙印を逃れるために共産党員は活動を先鋭化させ、その結果、共産党による独裁政治が人々に恐怖を与えたのである。

ところが、1953年にスターリンが死ぬと東欧に対するソ連の影響力が弱まってくる。チェコスロバキアでは共産党第一書記に就任したノボトニーがなおもソ連型社会主義国家建設の理想を実現しようとしたが、しかし停滞する社会に不満を感じていた国民の間には体制への批判が広がっていた。また、党内でもソ連に習うのではなく、新しい社会主義国家をめざす必要性が叫ばれていた。

そんな状況のなか、1968年に改革派の指導者デュプチェクが第一書記に選出され、検閲廃止、市場経済導入、言論や集会の自由などを推し進め、改革を具体化しようとする。ソ連は彼を批判し、改革の動きを封じ込めようとした。ところが民主化の波は他の東欧諸国にも広がり始め、ソ連にとって大きな脅威になっていった。

そこで遂に同年8月18日、ソ連は「ワルシャワ条約機構首脳会議」で軍事介入を決定し、武力によって改革を抑え込む道を選ぶのだ。

8月20日夜から国内に戦車が入り、プラハでは党本部や政府官庁、新聞社、放送局、駅などが次々と占拠された。翌21日にはプラハをはじめとしてチェコスロバキア国内はソ連軍の占領下に置かれたのだ。

ほとんど武力を持たなかった市民は、戦車を取り囲みながらも「無抵抗」という名の抵抗を見せたが、圧倒的な軍事力の前になす術はない。こうして変革への動きは封じられ、民主化への希望に燃えた短い「プラハの春」が終わったのである。

その後はソ連との関係回復を余儀なくされ、改革への動きが停滞した。民主化への希望が再燃するのは、１９８６年にソ連でゴルバチョフ政権が誕生してからだ。

共産党独裁への反旗が再び翻り、１９８９年、ついに共産党一党独裁の歴史に幕が下りた。「プラハの春」以来、20年も続いていた冬がやっと終わったのだ。

同時に長く続いていたチェコ人とスロヴァキア人との異民族の対立にも決着がつけられ、同年、チェコ共和国とスロヴァキア共和国に分裂した。

現在、プラハはチェコ共和国の首都として、この国の中心的な役割を担っている。

サラエボ〈ボスニア・ヘルツェゴビナ〉
第一次世界大戦の〝発火点〟になった理由

■ヨーロッパが震撼したサラエボ事件の舞台

サラエボは、山の多いボスニア・ヘルツェゴビナの盆地にある都市である。15世紀から４００年以上にわたってオスマン帝国の支配を受けた影響で当時に建設されたモスクなどの建築物が多く、長かったイスラム支配の歴史を色濃く残している。

もともとアドリア海とバルカン半島の内陸を結ぶ文明の交差点として歴史の波にもまれた街ではあったが、サラエボの名を世界中に広めたのは第一次世界大戦の発火点となった「サラエボ事件」だ。

19世紀末、バルカン半島一帯はオスマン帝国の支配を嫌った民族運動の活発化によって「ヨーロッパの火薬庫」と呼ばれていた。その背後には植民地分割をめぐって揺れるイギリスやフランス、ドイツなどのヨーロッパ列強が控えていた。

１９０８年、農民の蜂起をきっかけにボスニアの支配権はオスマン帝国からオーストリアへと移される。この時、北部ボスニアと南部ヘルツェゴビナは併合されたが、同時に反オーストリアの感情も高まった。

そんななか、１９１４年６月28日、サラエボ市街でオーストリアの皇太子フランツ・フェルディナンド夫妻が暗殺される事件が起こる。暗殺者は南スラブの解放をめざすセルビアの秘密結社に関わる青年で、彼は街の中心を流れるミリャツカ川に潜み銃弾を放ったといわれている。

この事件を引き金にオーストリアはセルビアに宣戦布告。そして両国にヨーロッパ列強がそれぞれ加担し、第1次世界大戦へと発展したのである。

サラエボは20世紀後半にも内戦が起こり、戦いの爪痕はあちこちに刻まれている。

位置的に西洋と東洋が混じり合う場所にあるため、数多くの紛争の舞台になってきた。

１９８０年代に起こったボスニア・ヘルツェゴビナ紛争は、今も深い傷跡を残したままである。

　同時にサラエボは苦難を乗り越え、発展を遂げつつある。

フィレンツェ〈イタリア〉
ルネサンスはなぜイタリアの地方都市から始まった？

■「コムーネ」として発展した街

　まるで時間が止まったかのように古びた街並みがそっくり残るフィレンツェ。特に世界遺産にも指定されている中心部の歴史地区は、中世ヨーロッパの風景そのものである。

〝花の咲く〟という意味を持つフィレンツェの成り立ちは古く、前2世紀にはすでにローマ帝国が自治都市として統治していた。

　11世紀に入るとイタリアはヨーロッパ全体の発展に伴いコムーネ（都市国家）の時代へ突入し、ミラノやヴェネチアなど北部が急速に発展、フィレンツェもまたトスカーナの重要な都市のひとつとして成長した。

のちにフィレンツェは共和国としてイタリア中部の一時代を築くのだが、この街の名を一躍世界に知らしめたのはなんといってもルネサンス期であろう。

芸術家や作家、建築家など、後世に語り継がれる多くの巨匠を輩出し、街には彼らの作品を身近に感じられる空間がいくつもある。

文化の革命ともいえるルネサンスは、いったいなぜこの街で開花したのだろうか。

■フィレンツェの豪商・メディチ家の存在

フィレンツェには、ルネサンスを語るうえで欠かせない一族の存在がある。それが中世において強大な支配力を誇ったメディチ家だ。メディチ家のルーツはフィレンツェ郊外のムジェロという街であり、もともとは無名の家柄だった。

一族がどのようにしてフィレンツェに移り住んできたのかは定かではないが、彼らは当初から両替商（薬屋、質屋との説もあり）を営んでいたと考えられている。

最初はただの一市民に過ぎなかったが、13世紀末に一族のアルディンゴが市政に参加したことを皮切りに、"庶民の味方"という姿勢を貫き有力市民へとのし上がった。

やがて14世紀に入ると、すでに銀行業で財を築いた一族からジョヴァンニという男が出現する。商才に長けていたジョヴァンニは銀行のほか織物工場も営んでおり、経済界におけるメディチ家の発言権は急速に強まっていった。

そして、息子のコジモが後を継いだ時には一族の力は頂点に達して、フィレンツェは名実ともにメディチ家が支配する街となった。

その影響力は経済のみならず政治にまで及び、初志のとおり市民と密接に結びつくことでフィレンツェ共和国の王と変わらぬ地位についたのである。

メディチ家最大の功績は文化面への投資で、コジモが15世紀にプラトン研究のアカデミアを創設するとメセナの精神は代々受け継がれた。

ルネサンスがフィレンツェで開花した背景は、ひとつに古代ローマ文化を継承しやすい立地だったこと、そして東方貿易の隆盛でメディチ家のような大富豪が生まれ、それにより街が他都市よりも自由な風土を育み芸術家を呼び寄せたこと、そして何より、この両者の結びつきがあったからこそフィレンツェはどの都市よりもルネサンス文化が息づいたのである。

作家では『君主論』のマキアヴェッリ、彫刻家では『ダヴィデ像』のミケランジェロ、絵画では『モナ・リザ』のレオナルド・ダ・ヴィンチ…と、フィレンツェが生んだ作家や芸術家は数えあげればきりがない。

メディチ家の時代は14～17世紀まで続いた。街のシンボルであるドゥオモやヴェッキオ宮などの重要建築群と内部を飾る傑作の数々は、大半がその時代につくられたという事実を知れば、フィレンツェがメディチ家抜きには語れない街だということがありありとわかるのである。

ロンドン〈イギリス〉
世界の中心地であり続ける「霧の都」

■世界を変えた「革命」の中心地
イングランド、ウェールズ、スコットランド、北アイルランドで形成される英国は、ドーバー海峡を隔てて他の欧州諸国との外交を推し進めながらも、まったく異なる歴史を刻んできた。

古代ローマ帝国の支配と、エドワード懺《ざん》悔《げ》王の短期統治を経て、１０６６年にイギリスを統一したのはノルマンディーからやってきたウィリアム征服王である。この頃からすでにロンドンは中枢都市として機能しており、テムズ川沿いに今もそびえるロンドン塔はウィリアム征服王の時代に建造されたものだ。

霧が発生しやすいことから〝霧の都〟の枕詞でおなじみだが、実はこの言葉は19世紀末の「産業革命」によって、連日ロンドンの空を覆っていた煙を形容したものである。

イギリスではこの産業革命を含めていくつかの革命の歴史が残っているが、なかでもきわめて重要だったといえるのが「名誉革命」だろう。血がいっさい流れなかったことからその名がついたというこの革命は、いったいどんな意味を持つのだろうか。

■革命の序章としてのピューリタン革命

イギリスは今となっては数少ない立憲君主政の国であるが、11年間だけ共和政になったことがある。その発端が名誉革命の序章ともいえる「ピューリタン革命」だ。

17世紀初頭、国民は国王ジェームズ1世の王権神授説に基づく統治に不満を抱いていた。それまでは王政といえども議会特権の維持が暗黙の了解だったため、王と議会は激しく対立するようになる。

この対立は1642年の武力衝突でピューリタン革命へと発展し、7年後に息子チャールズ1世が処刑されたことで終結した。

これによりイギリスは初の共和政時代を迎えたが短命に終わり、1660年には再び王政となった。ところが、この王政復古は王と議会の溝を埋めるものではなかったのである。

■ウェストミンスター宮殿が刻んだ歴史

王政復古で即位したのはチャールズ2世で、フランスと密につながっていた彼がまず着手したのはカトリックの復活だった。

しかし、イギリスには16世紀に成立したイギリス国教会がある。そこで同じくカトリック復興の思想を持つ弟ジェームズ2世の即位を懸念した議会が王位継承権の剥奪案を提出した。ところが見解の違いから2党に分離し、法案成立には至らなかった。

議会は引き続き国教徒以外の者を公職から追放する「審査法」を制定したが、そのまま即位した弟のジェームズ2世はこれを無視し、多くのカトリックを要職につけた。

そして、ジェームズ2世にカトリック教徒の男子が生まれたことで事態は急転する。議会がジェームズ2世の王女の夫であるオランダ総督のウィレムに武力援助を求めたのである。

すぐさまウィレムが兵士を連れてイギリスに上陸すると、国王は軍を率いて迎え撃った。

だが、人望のなさがゆえに離反に遭い、ついにはフランスへの亡命を余儀なくされてしまう。のちに議会は「権利章典」を制定し、現在にも通じる立憲君主政の基本を生み出した。名誉革命は一滴の血も流さず成功したのである。

この革命を発端にイギリスは〝議会政治の母国〟とまでいわれる国に成長した。

現在、国会議事堂の役割を果たしているのは時計塔のビッグベンがシンボリックな旧ウエストミンスター宮殿で、隣接の寺院では歴代王の戴冠《たいかん》式も行われている。

ウィーン〈オーストリア〉

ウィーンから読み解くハプスブルク家の興亡

■オスマントルコの包囲網を前に
2世紀頃に都市として誕生したウィーンだが、複数の民族による侵入や騒乱が繰り返され、長い間支配者が入れ替わる混乱の時代が続いた。その混乱に終止符を打ったのが、神聖ローマ帝国による支配である。

その支配下での権力争いの末、13世紀にオーストリアを手に入れたのはハプスブルグ家だった。

これ以降、ウィーンは都市として本格的な発展を始める。中央ヨーロッパの大部分を治めたハプスブルグ家の威光を背景に宮廷文化が栄え、芸術を擁護する君主たちの力もあって、ウィーン大学やシュテファン大聖堂などの巨大建築物が建ち並ぶ自由な気風の都として発展していくのだ。

ただし、常に安泰だったわけではない。東方から勢力を拡大していたオスマントルコが、1529年と1683年にこの都市を包囲攻撃したのだ。特に1683年は26万人の兵を抱えるオスマントルコ軍に対して、ウィーンの守備隊はわずか1万6000人しかおらず、ウィーンは苦戦を強いられた。

しかし、隣国フランスのサヴォイ公オイゲンの手助けによりトルコ包囲網を打破。ウィーンは守られ、さらなる発展を遂げる。

現在のウィーンを彩る優れたバロック式建築物は、この時期に建てられた。特に18世紀はウィーンがもっとも輝いた時代だといわれる。

しかし、その18世紀にオスマントルコの包囲以上にウィーンを揺るがす大きな戦争が勃発する。きっかけとなったのは、1740年にハプスブルグ家を継いだマリア・テレジアだ。

マリア・テレジアの父カール6世は男児がいなかったために、長女マリア・テレジアを相続者として周辺諸侯に認めさせようとした。

しかしカール6世が死ぬと、マリアに対してプロイセンのフリードリヒ2世が反旗を翻した。相続者として認める代償として、鉱山資源に恵まれたシュレジェン地方の割譲を要求したのだ。これが発端となり1740年、ついに「オーストリア継承戦争」が始まる。

プロイセンは当時まさに勢力を拡大しつつあり、また周辺の列強諸国のほとんどが領土的野心からプロイセン側についた。

さらにこの動きに乗じたフランスは、バイエルン選帝侯カール・アルバートを正式な後継者としてオーストリアに送り込み、ハプスブルグ家との対立に決着をつけようとする。

マリア・テレジアはこの戦いに敗れ、シュレジェンおよび皇位継承権を失い、バイエルン選帝侯がカール7世となった。

しかし、それで終わりではなかった。列強の中で唯一オーストリア側についたイギリスが積極的に介入し、イギリスはフランスに代わってヨーロッパでの覇権を握ろうとしたのだ。

１７４３年にイギリス軍がフランス軍を破ったのをきっかけに戦況がイギリス・オーストリア側に優位になると、カール7世の死をきっかけにプロイセンは和平の道を選ぶ。これによりマリア・テレジアはシュレジェンを失うが、皇帝位だけは死守することになったのだ。

その後ハプスブルグ家は衰退していくが、貴族文化の没落の過程でウィーンでは世紀末の空気を反映した独特の文化が開花し、特に芸術や学問の世界でひとつの時代を築いていく。

■ウィーンのその後

第1次世界大戦の敗北によりハプスブルグ家の支配が完全に終焉すると、ウィーンは永世中立国の中心地として国際都市へと発展する。

第2次世界大戦中の１９３８年には、ウィーンはヒトラー率いるナチスドイツの支配下に置かれた。そして、戦後は連合国軍の英米仏ソによって分割統治されるという不幸な時代も経験する。

しかし、かつてハプスブルグ家の威光を象徴する文化的都市として栄えた時代の名残りは、今もウィーンの街の過去の栄光を映し出している。

モスクワ〈ロシア〉
ロシアの中心であり続ける要塞「クレムリン」

■首都として発展した14世紀

モスクワが地図上に出現したのは意外と新しく、12世紀のことである。１１４７年にユーリー・ドルゴルスキー公がモスクワ河畔に木造の要塞（ロシア語でクレムリン）を建てたのが最初だった。

13世紀から約２００年の間はモンゴルの支配下に置かれたが、14世紀に中央集権的封建国家であるモスクワ大公国が生まれ、モスクワはその首都として発展する。

16世紀には恐怖政治で有名なイヴァン雷帝《らいてい》が即位し、その死後は権力をめぐって国内は混乱するが、１６１３年にミハイル・ロマノフが即位して帝政ロシアが誕生すると、シベリアにも版図《はんと》を広げ、首都モスクワを中心とした広大な国土を誇る国家となる。

17世紀に人口は約20万人となり、政治・文化・宗教の中心地として風格のある都市となったモスクワは、1713年にピョートル大帝によってサンクトペテルブルグに遷都するまでロシアの首都として栄えた。

この大都市モスクワが、歴史上たった一度だけ灰燼《かいじん》に帰したことがある。1812年、ナポレオンのロシア遠征の時である。

■ロシアの命運を分けたモスクワの攻防

ヨーロッパのほとんどを征服したナポレオンにとって、唯一残る大国はロシアだった。

1812年9月、ナポレオンはロシアを手に入れるために大軍を率いて東へと向かった。

そして9月7日、ついにモスクワの西方約90キロにあるボロディノでロシア軍と衝突する。

ところが、ここでナポレオンは予想外の抵抗に遭い、60万人もいた兵士を11万人にまで減らす。しかしロシア軍の犠牲者も多く、勝敗がつかないままにナポレオン軍は進軍を続けるのである。

ナポレオンはモスクワをめざしていたが、しかしここに彼の誤算があった。ロシアの寒さは厳しく、祖国からあまりにも遠いために食糧の補給がうまくいかなかったのである。すっかり消耗していた兵士たちは戦闘意欲も消えていたが、ともかくモスクワに到着すれば何とかなると信じて進軍した。

ところが9月14日、モスクワに入った彼らを待ち受けていたのは、ほとんど人影のない無人のモスクワだった。当時モスクワの人口は約30万人。しかし、その大部分はナポレオン軍の侵入を前に街を立ち退いていたのだ。当然、食糧もなく、疲弊した兵士たちは絶望の淵に立たされた。

さらにその夜、モスクワの街に火災が起こる。「モスクワの大火」といわれるこの火災は、ロシア側の焦土化作戦だった。これによりナポレオン軍は完全に行き場を失い、ロシアの寒さの中で飢えと疲労に苦しめられる。

やむを得ず退却を始めたナポレオン軍に、さらにロシア軍ゲリラが襲いかかり決定的なダメージを与えた。その執拗な攻撃はモスクワから退却するナポレオン軍を追い続け、最終的にパリに帰り着いた兵士はわずか約5000人だったといわれる。

こうしてモスクワの街は大火によって一時的に破壊された。しかし、この戦いは「祖国戦争」として今もロシア人の誇りとなっている。

１９１７年のロシア革命により、モスクワは再び首都となった。現在も政治と文化の中心であるだけでなく中央工業地帯の中心地であり、豊かな自然から得た天然資源と交通網の中心地という地の利を生かして生産性を上げている。

また、１９２２年のソビエト連邦の誕生以来、変わることなくクレムリンが政治の中心であり、それは１９９１年にソビエト連邦が崩壊してロシアが成立してからも変わらない。

そして、今もその政治的動向は世界の注目を集めている。

リスボン〈ポルトガル〉
世界を一変させた大航海時代の中心地

■多くの船団が旅立った「良い港」

起伏に富んだリスボンの街では、中心部と高台とを行き来するためにケーブルカーやエレベーターが利用されている。遊歩道が完備され路面電車が走る市街地は、まさに新しい都市の趣だ。

独裁政治や植民地政策に対する批判が高まり、無血クーデターによってポルトガルに共和国体制が復活したのは１９７４年のことだ。リスボンは今、その新体制のもとで首都として機能している。

しかし、この街にはまったく別の顔を持つ時代があった。リスボンという言葉の語源である「良い港」が示すとおり、かつては世界に向けて多くの船団が旅立った貿易拠点だったのだ。14世紀に始まる大航海時代は、リスボンがもっとも繁栄した時期である。

黒死病（ペスト）流行による人口激減と、金銀などの流出により深刻な経済不況に陥っていた14世紀、ポルトガルは同じイベリア半島の大国スペイン（当時はカスティリャ）に対抗するために西方をめざして大西洋に進出するか、アフリカをめざして南方に進出するしかなかった。

そこで、リスボンを拠点として15世紀から本格的に海外進出を開始し、アフリカ西海岸に商館を開き、大西洋でも植民地を開くなどして確実にその足場を築いていった。

その間、スペインとの対立関係は深まる一方だったが、１４７９年に両国の間で条約が結ばれている。これによりポルトガルはアフリカ西海岸を南下するという進出の経路が決定づけられ、黄金や象牙、そして奴隷貿易が盛んになった。

この時期には造船技術や航海図、測量器具なども進歩して大航海時代をあと押しした。羅針盤や四分儀も一般的に使われるようになっている。

１４８１年には天文学者トスカネリの説を信じたコロンブスが西回り航路で中国や日本に到達できると提案したが、時のポルトガル国王はこれを相手にしなかったためにコロンブスはスペインの後ろ盾を受けることになる。

ポルトガルはコロンブスよりも先に中国やジパングに到達するために東回り航路をめざし、この航海により喜望峰やエチオピアが発見された。さらにコロンブスが西回りの航海に成功すると、ポルトガルはマヌエル王がヴァスコ・ダ・ガマをインドに派遣し、インドとの貿易の端緒をつかんでいる。

一方、南米大陸で発見された金銀を求めてスペインとポルトガルは新大陸に進出した。特にポルトガルはペルーの銀をインドやモルッカ諸島からの香辛料の購入に充てた。

また、ブラジルの経営にも乗り出して砂糖や木材などを輸入し、さらに中国、日本、東南アジア諸国との貿易も開始した。なかでも当時、世界有数の金銀の産出国だった日本との貿易で大きな利益を上げている。

やがて国力で勝るスペインが強大になり、17世紀に入るとオランダ、イギリスが海外貿易に乗り出してスペイン、ポルトガルに対抗するようになる。そのためにポルトガルの海外進出の勢いはなくなり、世界の海の覇者は新参の国々へと移っていく。

その後も国際貿易都市として繁栄した面影は残っていたが、１７５５年に起こった大地震と、それに伴う津波・火災で壊滅的な打撃を受けたため、残存する歴史的建造物はほとんどない。

ただ、かつてリスボンの港から大海に乗り出した船乗りたちのランドマークだったベレンの塔は、今もこの街の歴史的意義を伝えている。

アムステルダム〈オランダ〉
最強国スペインを相手に戦い抜いた独立戦争の街

■自由を重んじる風土が育んだ街

オランダの首都アムステルダムは運河や風車の街として知られている。運河沿いを歩けば15世紀以来のさまざまな建築様式の建物を楽しむことができ、少し足を伸ばせばチューリップ畑や風車といった、いかにもオランダらしい風景に出会える。

しかし、それだけではない。アムステルダムは景観の美しい都市であるとともに、一方で世界史に大きな影響を与えた場所でもある。

ナチスによるユダヤ人迫害の悲劇を伝える『アンネの日記』の作者、アンネ・フランクが隠れ住んでいた住居もこの街にあり、訪れる観光客に戦争や差別の悲惨な歴史をまざまざと教えてくれる。自由を求める人々にとってアムステルダムは特別な意味を持っているのである。

ヨーロッパ市民革命の先駆けともいわれる「オランダ独立戦争」もこの街が舞台だった。

■独立戦争のもうひとつの側面

オランダの正式名称はネーデルラントだ。これには「低地」という意味がある。

現在でも海面より低い土地に都市の中心部があり、国土の4分の1は干拓によって生まれたといわれている。この地形が運河を造り、船による商業輸送に大きな力となった。

街には古くから羊毛工業が発達し、北海に面する地の利を生かして中継貿易の拠点となって、大航海時代以降はヨーロッパ商業の中心になっている。

この富める国に目をつけたのがスペインの国王フェリペ２世だった。ネーデルラントは１４７７年以来ハプスブルグ家が領有しており、フェリペ２世はハプスブルグ家のスペイン系の王なのである。

さらに、ここにフェリペ２世の信仰の問題も絡んでくる。宗教改革で新教として生まれたカルヴァン主義は職業に対する勤勉さを説き、ネーデルラントの特に北部に受け容れられていた。だが、フェリペ２世は狂信的なほどのカトリック教徒だった。彼はスペインの戦争の経費や、豪奢な宮殿の建造費用を賄うためにネーデルラントに重税をかけ、さらにカトリックの信仰を強要してカルヴァン主義者の弾圧を行ったのである。

１５６６年、これに反発したカルヴァン派の市民が反乱を起こすと、フェリペ２世はアルバ公を総督として派遣し、反乱に加わった市民ら８０００名余りを処刑して力による統治を行う。

ネーデルラント諸州の反発はさらに高まり、１５６８年オラニエ公ウィレムを指導者として自治権を求める独立戦争が始まった。

戦闘には国外に亡命していたカルヴァン主義者ばかりでなく、フランスの新教徒も加わり、見方を変えれば旧教（カトリック）に対する新教の戦いとなっていった。

このため、カトリックの多いネーデルラント南部の10州はスペインとの和平を打ち出して戦闘から抜けていった。一方、カルヴァン派の北部７州は１５７９年にユトレヒト同盟を結び、イギリスからも支援を受けながら戦い続け、１５８１年、ついにネーデルラント連邦共和国（オランダ）の独立を宣言するのである。

その後もスペインとの闘いは続いたが、１６０９年に休戦条約を結んで事実上の独立を果たすと、１６４８年に「ウェストファリア条約」で各国に正式に承認された。

独立から４世紀が経とうとする現在もアムステルダムはヨーロッパの金融センターとしての役割を担い、活気に満ちた街の賑やかさは当時と変わらない。

ジュネーブ〈スイス〉
なぜジュネーブには宗教改革者カルヴァンの足跡が残る？

■カルヴァンの「キリスト教綱要」がもたらした衝撃

レマン湖のほとりにあるスイスのジュネーブは、スイスの都市の中でもっとも美しい景色を持つ街といわれている。国連第2の拠点があることでも知られているほか、赤十字国際委員会をはじめ多くの国際機関がここにある。

永世中立国を宣言することでスイスは政治の世界で独自の地位を占めるに至ったが、実は宗教の世界でもジュネーブは大きな事件の舞台となっている。今では観光の名所となっている12〜13世紀に建てられたサン・ピエール大聖堂がそれである。

実は、この建物の飾り気のない厳粛な内部を突き進んでいくと、宗教改革者であるジャン・カルヴァンの椅子があるのである。

フランス東北部に生まれたカルヴァンは、パリ大学などで法学や神学を学んだが、カトリック教徒にはならず、当時ドイツで始まった宗教改革の影響を受けてルターと同じ聖書主義者になった。

異端として弾圧を受けたカルヴァンは、身の危険からスイスに亡命する。

しかしバーゼルに移り住んだカルヴァンは、ここでも宗教改革をやめなかった。1536年に27歳という若さで「キリスト教綱要」という新教擁護の神学書を書き上げるのだ。

これがたちまち話題を呼び、彼は宗教改革の指導者という立場を築く。そしてたまたま立ち寄ったジュネーブで教会改革を依頼されるのだった。

最初はよそ者と見られ、一時は街を追われたカルヴァンだったが、信念を曲げずに改革を進め、やがて国家権力と教会を切り離すことに成功するのである。

■宗教改革とは何だったたか

カルヴァンとルターはともに宗教改革を進めた指導者だが、両者の違いはどこにあるのだろうか。ルターは教会と権力者が結びついて免罪符を発行することを糾弾し、「人は信仰によってのみ義とされる」と説き、聖書のみが信仰のよりどころとした。

これに対してカルヴァンは、「人間の救済は神が最初から予定しているものであり、身分の違いや職業の貴賤などとは無関係」という「予定説」を唱えた。

いずれも絶対的な権力を振るう教会と信仰とを切り離すことが狙いだったが、カルヴァンはさらに職業を神聖なものとして捉え、勤勉さや倹約を人々に説いた。そして禁欲的な労働によってもたらされた利益や蓄財は、神の意志にかなうものとした。

この考え方は当時、ヨーロッパで起こり始めた資本主義の精神を支えるものとして、新興市民階級や比較的裕福な農民層に受け容れられると、その後ジュネーブから全ヨーロッパへと急速に広がりをみせていくのである。

ジュネーブのサン・ピエール大聖堂の近くには今でもカルヴァンらの名前が刻まれた宗教改革記念碑が残されており、当時を偲ばせている。

ミュンヘン〈ドイツ〉
中世の面影を残す芸術の街で起きたできごと

■ドイツ３番目の大都市の成立

ヨーロッパ有数の博物館や美術館を擁する芸術の都ミュンヘン。日本人にはビールの都として、またＢＭＷの本社があるところとしても知られている。

ミュンヘンはベルリン、ハンブルクに次ぎドイツで３番目に大きな都市であり、街の発祥は１１５８年といわれている。さらにもっと時代を遡れば、６世紀前半には都市国家として成立しており、その歴史は想像以上に古い。

街の中央部、マリーエン広場に11世紀前半に建設された聖ペーター教会の尖塔に上がると、過去の長い歴史と現在が入り混じり、人の心を惹きつけてやまない街の姿を眺めることができる。

だが、ミュンヘンにはそうした中世の面影だけでなく、歴史を大きく書き替えた忘れられない顔がある。それはヒトラー台頭の舞台となった街であることだ。

■ヒトラーの台頭を目の当たりにした街

第1次世界大戦後のヴェルサイユ体制ですべての植民地を失い、国境地帯の割譲までさせられたドイツには行き場のない不満だけが渦巻いていた。

第1次世界大戦で負傷したヒトラーは、除隊後の1919年に、のちのナチスとなる「ドイツ労働党」に入党。支持者こそ少なかったが、国民の不満を背景に精力的に党勢を拡大させ、やがて党首の座に就く。

そして4年後の1923年、ワイマール政府打倒を叫び政権獲得をもくろんで暴力革命をミュンヘンで起こす。11月9日にヒトラーは市の中央にあるオデオン広場に向けてデモを開始し、暴力に訴えてでも政権転覆を狙おうとしたのである。

このデモには2000〜3000人が参加したといわれており、反政府運動は大きなうねりとなっていった。しかし、広場の入り口には武装警官が待ちかまえており、デモ隊が近づくと一斉に発砲して鎮圧してしまう。

これがヒトラーの「ミュンヘン一揆」で、彼が夢見た暴力革命は即日のうちに鎮圧され、ヒトラーは投獄される。この時、彼が獄中で書いたのがあの『我が闘争』で、のちにナチスの聖典となっていくのである。

以降、彼は暴力による政権奪取から大衆運動へと路線を変更し、議会を通じた合法的な政権獲得を狙う。ヒトラーが唱えたヴェルサイユ条約の破棄や、植民地の再配分、そしてユダヤ人の排斥は極端な主張だったため、最初は誰も耳を傾けなかった。

しかし、世界恐慌が襲って大量の失業者を生むとしだいに支持者が増え始め、さらに共産党の進出を恐れた軍部や資本家からもナチスへの支持者が現れるのだった。

社会不安に乗じて急速に台頭したナチスは、1932年の総選挙で第一党に躍り出て、翌年にはヒトラー内閣が成立する。そしてナチス以外の党はすべて解散させられ、一党独裁体制がここに敷かれた。ヒトラーはこれを第3帝国と呼んだが、暗黒の時代のはじまりにほかならなかった。

労働組合の活動は禁止され、言論・出版の自由は剥奪された。反対者はナチスが組織した秘密警察（ゲシュタポ）や親衛隊、突撃隊によって厳しく監視され、取り締まられた。

１９３３年にドイツは国際連盟を脱退すると、第２次世界大戦の破局へと突き進む。ミュンヘンの街も大戦末期の２年間に66回もの爆撃を受け、甚大なる損害を出した。

しかし、敗戦後は市民の粘り強い努力によって街は昔のままに復元され、中世から現代に至るまでの歴史の重みを訪れた旅行者に感じさせてくれる。

ワルシャワ〈ポーランド〉
第二次世界大戦後に蘇った「歴史地区」

■新しい街並みの中の「歴史地区」

ワルシャワ市内を歩くと、ヨーロッパの古い都市にありがちな古典的建築物が少なく、街そのものが新しいことに驚かされる。

14世紀に都市として生まれたワルシャワが正式にポーランドの首都になったのは、１６１１年のことだ。19世紀にはロシア領ワルシャワ王国の首都として栄えたことを考えると、歴史的建造物が数多く残っていても不思議ではないが、現実には第２次世界大戦後まったく別の容貌の街になった。

そんななかで、「歴史地区」と呼ばれる一帯だけは景観が異なる。そこには16世紀から17世紀にかけてのバロック様式やゴシック様式の建造物が建ち並び、昔からの古びた街並みが広がっている。

実は、ここは古いワルシャワの街並みをとどめるために史料や人々の記憶をもとにして細部まで再現されてつくられた場所なのだ。

戦後の再開発でできた新しい街と、その中に存在する古いエリア。なぜそんなことをする必要があったのか。そこには、第2次世界大戦中にこの街を襲った悲劇にある。

■消滅の危機にさらされた街

ポーランドは地理的に東西から侵入しやすい位置にあり、たびたび周辺国からの侵略を受けてきた。19世紀にはプロイセン、オーストリア、ロシアがそれぞれポーランドを分割支配していたが、1918年ようやく独立宣言が認められている。

しかし国内にはドイツ人が多く、国境線も不確定で国家としては脆弱だったために、やはり周辺国の標的にされた。

そんななかで1939年9月1日、東方への進出を図っていたヒトラーのポーランド進攻が開始された。これをきっかけに第2次世界大戦が始まったのだ。

約2週間の攻撃の後、9月半ばに進駐してきたソ連軍とドイツとの間で分割協定が結ばれる。ポーランド政府はイギリスに亡命しており、事実上ポーランドはナチスドイツの支配下に置かれた。そして、ポーランド史上もっとも過酷な時代が始まるのだ。

1945年に解放されるまで国内で約600万人の人々が殺された。なかでも首都ワルシャワが受けた被害は甚大だった。ユダヤ人に対して虐殺を行ったヒトラーは、ポーランド人をも劣等民族だとみなしていたのである。

ナチスドイツはワルシャワの街を地上から消し去ろうと考え、膨大な爆弾による組織的な都市の破壊を進めた。さらに無防備なワルシャワの街を戦車が蹂躙《じゅうりん》した。

これに対してワルシャワ市民は、ドイツ軍の残虐行為をただ見ていたわけではない。1944年8月、ナチスドイツの占領体制に対してワルシャワの地下組織がいっせいに蜂起した。これが「ワルシャワ蜂起」である。組織は一時的にワルシャワのかなりの部分を奪還した。しかし期待していたソ連軍の援助が得られず、2カ月足らずで鎮圧されてしまう。

結局、ワルシャワの街の約8割が破壊され、約65パーセントの人命が失われた。第2次世界大戦でここまで破壊し尽くされた都市はほかにはない。戦後、一時的に首都を別の街に移すという案が出されたほどだった。

ドイツが敗戦国となり、ポーランドが１９４５年に解放された時、ナチスドイツに代わってワルシャワを支配したのはソ連だった。社会主義国となって新しい都市計画が動き出し、その中で歴史地区をつくってワルシャワの過去を蘇らせる計画が進む。

しかし、ポーランドではいち早くソ連支配への抵抗運動が起こり、ワルシャワはその中心的な舞台となった。その結果、ほかの東欧諸国に先駆けて１９８９年に非共産党政権が誕生したのである。

グラナダ〈スペイン〉
不可思議な宮殿「アルハンブラ城」が見たスペイン史

■不思議な宮殿・アルハンブラ

グラナダはスペインの首都マドリッドから飛行機で45分、イベリア半島の南東部に位置する古都だ。古い街並みはネバダ山脈を背景に、白い外壁と赤褐色の屋根が浮かび上がるように美しい。

なかでも街の東側の小高い丘に建つアルハンブラ城の宮殿は、グラナダのシンボル的存在である。

宮殿はイスラム教徒のムハンマド5世の時代に建設されたもので、アルハンブラとは「赤い城」を意味する言葉だ。今でも城内に最古の部分として残るアルカサバと呼ばれる城塞が赤く上塗りされたことから生まれたといわれている。

また、王たちの別荘として使われていたヘネラリフェという名の別殿には、庭園に噴水のトンネルが造られ、見る者にかつての王の権力を感じさせる。

この美しいアルハンブラ宮殿をよく観察すると、キリスト教的な装飾とイスラム教的な装飾が溶け合うように混在していることに気がつく。なぜ、イスラム教国だったアルハンブラの宮殿にキリスト教的な装飾が溶け込んでいるのだろうか。

■強国スペインの物言わぬ証人

イベリア半島は8世紀以来、ほとんどの部分がアラブ民族のイスラム教徒によって支配されていた。キリスト教徒はこれに対してレコンキスタ（再征服）と呼ばれる、国土回復運動を進めていく。

十字軍に後押しされるようにレコンキスタはしだいにイベリア半島の南へと進み、いくつかの国に分かれて勢力を持つようになった。なかでもカスティリャ、アラゴン、ポルトガルの3国が強大だった。

そして、強国同士は互いに領土を奪い合うよりも融和の道を探るようになり、カスティリャの王女イサベルとアラゴンの王子フェルナンドが結婚すると、2つの国はスペイン王国として統一されるのである。

イベリア半島で最大の国家となったスペインは、いよいよイスラム教徒最後の拠点だったグラナダへ向けて兵を挙げる。

新生スペインを共治するイサベルとフェルナンドはグラナダ攻略のため、グラナダから西に12キロメートル離れた土地に碁盤の目のような道路を持つ街のサンタ・フェをつくり、そこを拠点にした。

スペイン軍によって攻め込まれたグラナダは、イスラム教徒たちの抵抗も空しく1492年に占領され、キリスト教徒の街として新たな時代を迎えることになる。

レコンキスタが成功すると、勢いに乗ったスペインはカトリックを国教に定め、宗教裁判で異教徒を弾圧してグラナダの大貴族も押さえ込んだのである。

こうしてヨーロッパでいち早く中央集権化を行ったスペインは、その後の世界史のなかで大きな勢力として拡大していく。

時は折りしも大航海時代を迎えており、イサベル女王の援助を受けたコロンブスは、グラナダ占領と同じ年にアメリカ大陸を発見し、1519年にはマゼランは南アフリカを通って太平洋を横断するコースを開拓している。

そしてイサベル女王とフェルナンド王が死ぬと、ハプスブルグ家のマクシミリアン1世の子と結婚した第二王女のフアナの長男は、スペインの王位を継承し、同時に神聖ローマ皇帝も兼ねるようになったのだ。これによりスペインはオーストリア、ネーデルラント、ナポリ、シチリアを領有するヨーロッパ最大の強国になる。

グラナダの街には今でも当時を偲ばせるゴシックやルネサンス様式の建物がある。それらは強国スペインのもの言わぬ証人なのである。

5章

その"街"で、一体何が起きたか
〈南・北アメリカ編〉

クスコ〈ペルー〉
インカ帝国が建設したアンデスの聖なる街

■クスコの街を支える驚くべき石組みの技術

今なお多くの謎を残す神秘の国・インカ帝国。その中枢を担った都は世界屈指の山岳都市として現在も当時の面影を残している。

富士山ほどの標高に位置し、インカ文明とスペイン文化の融合がみられるクスコは、インカの神秘である空中都市マチュピチュの遺跡訪問の拠点でもあるため、市内には世界中から訪れる観光客の姿が目立つ。

だが、クスコ市街で目を引くのは、スペイン建築のあたかも土台にされたかのような精巧な石組みだ。ジグソーパズルのような石の壁は必ずしも四角形ではなく、五角形や十二角形といった不規則な石を一分の隙もなく積み上げて造られているのである。

この石組みの技術を発揮したのはほかでもないインカ帝国の人たちだ。他に類を見ないほど優秀な民族とうたわれ、古代文明の一時代を築いたインカとはいったいどういう文明だったのだろうか。

■アンデス一帯を統治した揺るぎなき国家体制

インカ建国の経緯は定かではないが、いわゆるインカ族と呼ばれた人々は13世紀頃からアンデスに存在していた。それまでもペルーにはチャビン、ナスカなどの古代文化が栄えており、インカはそれらの影響を受けて発展した文明といえる。

伝承上の人物と推察される初代王カパックを含め、インカの皇帝は13代まで続いているが、文明が円熟期に入ったのは１４３８年の第9代パチャクティ王の時代だった。パチャクティはアンデス一帯の部族を征服するとクスコを政治の中心地と定めた。クスコとは現地のケチュア語で「世界のへそ」を意味する言葉である。

インカの都市整備はかなり精巧なものだった。タワンティン・スーユ（４つの地方）と呼ばれる都市形態で、まず地域を東西南北に4分割し、それぞれに「インカ道」なる道路を造った。

ちなみに、現在クスコに見られる石組み建築や石畳の路地などはまさしくこの時代に造られたもので、彼らの建築技術の高さを窺い知ることができる。

各スーユには県が置かれ、そこに暮らす人々は長を中心に約1万人の集団でまとまっており、さらに細かな単位でも集団化されていた。

王を頂点にピラミッド状に形成された国家では政治形態は絶対君主制だったが、経済は平等だった。

土地、田畑のほかインカの代名詞ともいえる黄金も国家所有で、収穫した農作物などは平等に分け与えられた。そして、それらすべての中心にあったのは絶対的な太陽信仰だったのである。

■ピサロの侵入で滅びた「太陽の帝国」
インカは文字を持たない民族だったため、情報管理にはキープと呼ばれる結節《けっせつ》縄だけが頼りだった。それでもアンデス一帯を支配するほどの統治国家が成立したのは、政治、経済、宗教と揺るぎない社会システムの構築があったからだといえる。

しかし、インカの繁栄は長くは続かなかった。1532年、フランシスコ・ピサロ率いるスペイン軍が黄金を目当てに侵入したのである。

ちょうど内乱が起こっていたインカの分裂に乗じて進撃したピサロは、翌年、事実上クスコの占領に成功した。王は捕らえられて処刑され、インカ帝国はこの世から姿を消したのである。

だがこの時、ピサロはクスコの街を完全に破壊することはできなかった。おかげで現在のクスコでは文明の名残りを見ることができる。

太陽の帝国と恐れられたインカは滅びたが、現在もクスコにはインカの末裔が古き伝統を守りながら暮らしている。

メキシコシティ〈メキシコ〉
太陽に生け贄を捧げたアステカ文明の中心地

■メソアメリカ最後の文明が栄えた街

人口２０００万人強を抱える中南米のマンモス都市・メキシコシティ。郊外にサボテンが自生する風景が広がる一方で、都市部には高層ビル群とバロック様式の建築物が混在しており、一種独特の雰囲気を醸し出している。

メキシコに中世の西洋文化を持ち込んだのは、いうまでもなく南米大陸の覇者・スペインだが、それまでこの地で栄華を誇っていたのはアステカ王国だった。

アステカは、メソアメリカ文明の後古典期に栄えた王国である。その発祥は、14世紀初め頃にメキシコ北部を根城にしていたメシカ族（アステカ族）が神託によりメキシコ盆地のテスココ湖に居を移したことに始まっている。

メシカ族は瞬く間に周辺部族を統一し、「石のように堅いサボテンの地」を意味するテノチティトランという名の都市を築いた。推定人口は約30万人で、同年代の都市では世界的にみても大規模なスケールを誇る。

そのアステカの聖域たる都市・テノチティトランが存在した場所こそが、現在のメキシコシティなのである。

■太陽に生け贄を捧げたアステカの信仰

テノチティトランは、テスココ湖に浮かぶ約4平方キロメートルの小島に建設された湖上都市だった。島から湖岸の三方向には堤道が渡され、肥沃な土壌で農耕を営みながら繁栄を築いていた。

アステカ族は多神教部族だったが、なかでも信仰の中心はメソアメリカの文明にも多くみられる太陽神だった。そのため、テノチティトランでは日夜神聖な儀式が行われていた。それが「生け贄の儀」である。

ある者は生きたまま心臓をえぐられ、ある者は生皮を剥がれる。神に血を捧げ、命を差し出すことで彼らは太陽に祈り続けた。

この残虐な行為のおかげでアステカは後世、野蛮民族のレッテルを貼られるが、これは太陽神を信じ抜いた彼らにとっては欠かすことのできない儀式だったのである。

■アステカ王がスペインの侵略を許した理由

強大な統治力と熱心な信仰心で大帝国を築いたアステカだったが、後期は部族間の抗争なども勃発して一時の華やかさを失っていた。

そして１５１９年、エルナン・コルテス率いるスペイン軍がアステカの武力制圧に着手する。

その2年後にアステカは滅亡の日を迎えるのだが、衰えたとはいえ30万もの人口を擁する王国が500人の征服軍に敗北したのはなぜか。

実は、アステカではこの世の終わりの年号を予言しており、それを創造神ケツァルコアトル(羽毛の蛇)が救済するという言い伝えがあった。1519年はまさにその予言された年号で、時の王・モンテスマはコルテスをケツァルコアトルと錯覚し、彼を首都に迎え入れてしまったのである。

しかし、王が彼を救済者と信じた反面、部族民たちは徹底抗戦の構えを見せ、一度はコルテス軍に勝利した。

この時のコルテスの屈辱はのちに「悲しみの夜」と称され、スペインでは南米征服の顚《てん》末《まつき》記の一つとして語り継がれている。

だが、1521年には再びコルテス軍の襲来を受け最後の王が捕らえられ、アステカ王国は滅亡する。

メキシコシティはスペインがテスココ湖を埋め立てて建設した街で、地下に眠り続けたアステカの都市遺跡は1978年の電気工事で偶然発見された。発掘作業は今も続けられており、断片的ながらもメソアメリカの大きな歴史のつなぎ目が明らかにされようとしている。

ボストン〈アメリカ〉
「ボストン茶会事件」は歴史をどう変えたか

■「自由の息子たち」がとった行動とは

レンガ造りのヨーロッパ風の家並みと、石畳の路地が続く東海岸の古都ボストンは、新大陸に夢を求めて大西洋を渡ってきた移民たちが開拓した街だ。

現在、街の中心部のダウンタウン地区には官公庁やビジネス街、金融街が集まり、チャールズ川を挟んだ対岸には、ハーバード大学やマサチューセッツ工科大学があるケンブリッジが広がる。

ボストンはアメリカ有数の学園都市としても知られ、最先端の技術を生み出す街だが、その一方でアメリカ建国時の史跡が数多く残っている。

実は、この街は「アメリカ独立戦争」の舞台となったのである。そのきっかけはボストンの港が真っ赤に染まったともいわれる「ボストン茶会事件」にある。

事件は１７７３年12月の夜に起こった。ネイティブ・アメリカンに変装した市民の一団が、港に停泊中のイギリス東インド会社の船を襲撃すると、積み荷の紅茶３４２箱を海中へと投げ入れたのだ。「自由の息子たち」と名乗る彼らは、本国イギリスへの不満を行動で示したのである。

■ボストン茶会事件の意外な真相

当時のイギリスは重商主義をとり、植民地の産業を抑えることで本国と競争をさせないようにしていた。しかも、フランスに植民地をめぐる「フレンチ＝インディアン戦争」で勝利すると、多額の戦費を賄うために新たな税金まで植民地にかけてきた。

なかでも１７６５年の印紙法は市民のほとんどが激しく抵抗した。この法律は新聞から卒業証書にいたるまで、あらゆる文書に印紙の貼付を義務づけたもので、市民は法理論を楯に「代表なくして課税なし」と本国に抗議する。

つまり、植民地は本国の議会に代表を送っていないため、本国は課税に関する権利を持たないと主張したのである。印紙法は翌年撤回されたが、１７７３年になると今度は茶税が登場する。

東インド会社の経営が悪化し破産寸前の危機に陥っていたため、茶税導入は同社を救済するのが目的だった。その内容は保有している茶を無税にし、さらに植民地での独占販売権を同社に与えるというものだった。

もし東インド会社の代理店を通じて安価な茶が市場に出回れば、植民地の商人は大きなダメージを受けることになってしまう。市民の一団が船を襲撃してボストン港を赤く染めた理由はここにあったのである。

これを機に抵抗運動はますます盛んとなり、イギリスはボストン茶会事件を理由にボストン港を閉鎖する。しかもいくつかの懲罰的な法律まで制定し、高圧的な態度で臨んだのだ。

1774年にボストン港が閉鎖されると、植民地側はフィラデルフィアで大陸会議を開いて抗議をするのだが、本国政府と国王は態度を変えることがなかった。

翌年4月、ついにボストン近郊のレキシントンで本国軍と植民地の民兵とが衝突し、これが独立戦争へと発展する。各地で義勇兵が募られ、ジョージ・ワシントンが総司令官に選出されるとアメリカ独立戦争が始まった。

そして1776年7月4日、13の植民地の代表は事実上の政府である大陸会議をフィラデルフィアで開き、ついにアメリカの独立宣言を行うのである。

ボストンのウォーターフロントには今でもボストン茶会事件で襲撃された船の一艘が復元されて停泊している。紅茶で赤く染まった港はボストン市民の叫びであり、独立への呼び水でもあったのである。

ハバナ〈キューバ〉
世界が震撼した13日間に起きたできごと

■「老人と海」の舞台となった街

世界中からツーリストが集まる屈指のリゾート・カリブ海のなかで、第一級の都市のひとつに挙げられるのがキューバの首都・ハバナである。

１４９２年にコロンブスが発見し、１５１４年にはハバナという名の都市が建設された。以来、年月を重ねるごとにモロ、カバーニャといった要塞が造られ街そのものが要塞化されていったのは、海からの襲撃を受けやすいハバナの立地から考えれば当然のことだったようだ。

1902年の国家独立で街は変貌を遂げたが、植民地時代を回顧させる旧市街には今も重厚な西洋風の建築物が佇んでいる。

この旧市街は文豪ヘミングウェイが晩年を過ごした場所としても知られ、名作『老人と海』の舞台となった漁村も近い。

煙草や砂糖で豊かな経済力を誇ったキューバだったが、独立後の20世紀は激動の時代で国内情勢は安定しなかった。

世界を揺るがす大事件「キューバ危機」もその大きなうねりの中で勃発したのである。

■3国の思惑が招いた世界戦争の危機

事の発端は、1962年10月16日にアメリカの偵察機が持ち帰った航空写真だった。そこにはハバナ近郊のサン・クリストバルに建設途中のソ連のミサイル基地が写っていた。

当時の3国関係はといえば、まずアメリカとソ連が東西冷戦の真っ只中で、一方のキューバはそれまでアメリカの保護国だったが、1959年のキューバ革命の成功によってアメリカと国交を断絶、カストロが社会主義宣言をぶち上げ東側(ソ連)陣営に属した。

ソ連によるキューバのミサイル基地建設は、アメリカが完全に射程圏内に入ることを意味していた。時の米大統領ケネディは即座に政府首脳を緊急招集し、対策会議を開いたのである。

当初はキューバ空爆が進言されたが、ケネディは慎重だった。なぜならこの時、両国は核兵器を開発済みで、一歩間違えれば世界大戦に発展する危険性があったからである。

悩み抜いたケネディは10月22日、ソ連に対しミサイルの撤去要請とともに海上封鎖を宣言、キューバへ兵器を持ち込もうとする船舶は実力で排除すると警告した。この声明はテレビ中継され、そこで世界は初めて核戦争の恐怖に直面したのである。

ところが、ソ連の首相フルシチョフはこれに応じなかった。

声明発表後もケネディはあらゆる手段を用いてフルシチョフと交渉を継続した。国連も協力して戦争回避に全力で取り組んだが、10月24日、とうとう封鎖ラインにソ連の船舶22隻が姿を現したのである。

海上では、ソ連の船団と米偵察機が対峙するという異常事態が続いた。だがソ連船は直前で方向転換し、ひとまずここでの軍事衝突は免れた。

しかし、キューバのミサイルの撤去はまだ行われていなかった。そして10月26日、フルシチョフは撤去の条件に関してふたつの声明を発表する。

第1はアメリカがキューバに対して侵攻しないと公約すること。そして、第2はトルコにあるアメリカのミサイルを撤去することだった。

ケネディは第1の条件のみを受諾、10月28日ついにソ連が妥協する形でサン・クリストバルのミサイル撤去が決定した。こうして13日間にわたる米ソの抗争は沈静化し、世界戦争の危機は回避されたのである。

その後、２０１５年に断交して以来、オバマ政権下で54年ぶりに国交が回復したものの、現在は商取引や渡航制限などの制裁強化が続いている。

ニューヨーク〈アメリカ〉
ニューアムステルダムと呼ばれた歴史的経緯

■オランダとイギリスの衝突

政治経済から文化芸術に至るまで、世界中の人・モノ・カネが集まり、常に新しく生まれ変わっていく街ニューヨーク。ニューヨークはマンハッタン、ブルックリン、クイーンズ、ブロンクス、スタテン島を含む5つのブロックから成り立っており、金融や芸術、国際政治などの分野で個性的な魅力を発揮している。

しかしニューヨークの歴史を紐解くと、列強の植民地争奪戦の果てに生まれた街という意外な事実が現れる。ここは昔も今も欲望の渦巻く場所だったのである。

最初、この地に植民地を建設したのはオランダだった。1626年にオランダ西インド会社がマンハッタン島の南端近くに入植地を開いたのがはじまりだ。名前は本国を模してニューアムステルダムだった。

入植地といっても最初の頃は非常に簡素なもので、8角形の砦と2つの門、それを結ぶ通りと中央の市場で構成されていた。

当時の様子は、ヨースト・ハルトガースが描いた絵に残っている。荒涼とした大地に砦と住居、それに沖合に停泊する帆船が描かれているだけである。

オランダ人がマンハッタン島に植民地をつくった理由は、フェルト帽子の材料になるビーバーの毛皮を本国に送るためだった。

入植後3年経っても人口は約270人という小さな街だったが、外敵から身を守るために石壁（ウォール）で新しい砦が築かれることになる。現在のウォール街の名前はここからきたものである。

石壁を造った理由はハッケンサック族などの先住民から攻撃を避けるためだったが、もともと土地を私有するという意識がない先住民から、オランダ人が土地を奪うようにして手に入れたことに問題があった。

しかし、マンハッタンを狙っていたのはオランダだけではなかった。イギリスも新大陸への進出を積極的に進めていたのである。

１６２０年、イギリス清教徒の一団は信仰の自由を求めてプリマスに上陸し、ニューイングランド建設の基礎をつくるなど活発な活動を続けており、18世紀前半までにイギリスは13の植民地を建設していた。

ニューアムステルダムにイギリスの手が伸びたのは、オランダとイギリスの戦争が引き金であった。当時、イギリスの政治は独裁者クロムウェルの手の中にあった。彼は自国への船輸送を自国以外の船にはさせない「航海法」を発令し、オランダがそれまで持っていた海上権を侵すのである。オランダは、これを撤回させるためスペインを破って勢いに乗るイギリスと衝突した。

戦争は1652～1654年と1665～1667年、そして1672～1674年の3次にわたって行われた。勝利したのはイギリスで、この時に海上権だけでなくニューアムステルダムも奪い取ったのだ。1664年にイギリスの小艦隊がニューアムステルダムを取り囲んだ時には、先住民との戦いに疲れ果てていた植民地の人々はほとんど抵抗することもせず降伏したという。そしてイギリスは国王の弟であるヨーク公の名前にちなみ、そこをニューヨークと改名したのである。

先住民の受難はそれからも続くが、植民地の争奪戦で建設されたニューヨークが今のような大都市になることを誰が想像できただろう。

アトランタ〈アメリカ〉
『風と共に去りぬ』の舞台から読み解くアメリカ

■奴隷と綿花がもたらした繁栄

アトランタと聞いて思い浮かぶことといえば、1996年に開催されたオリンピックではないだろうか。また、アメリカ文学の名作『風と共に去りぬ』の舞台でもある。

その素顔は、高層ビルが林立する南部最大の商業都市である。誕生はウェスタン・アトランティック鉄道がテネシー州と繋がった1837年で、終着駅として急激に発展したアトランタは都市名も鉄道名のアトランティックにちなんで名づけられた。

さらに、アトランタの歴史を語る時に欠かすことのできないのが「南北戦争」である。1861年に開戦したこの戦争は、北部と南部の経済基盤の違いが大きな要因だった。北部が商工業で発展したのに対し、南部は奴隷制による綿花栽培で栄えていた。結果的に戦いはリンカーンの奴隷解放宣言とともに北軍が勝利したが、5年に及ぶ戦争はアメリカ全土に多くの爪痕を残し、アトランタもまた焼け野原と化した。翌年、街は復興を遂げるも黒人問題は真の解決をみるに至らなかった。

しかし1929年、のちに黒人たちの英雄となる人物がアトランタで産声を上げる。公民権運動の父、マーティン・ルーサー・キング・Jr.（キング牧師）である。

■黒人差別に一石を投じたキング牧師

牧師の父のもとに生まれたキング少年は青春時代をアトランタで過ごし、黒人大学を経て神学校へと進学した。青春時代にさまざまな人種差別を経験していたキングは、インド独立の指導者ガンジーの非暴力主義に傾倒していく。

黒人差別は南北戦争後もなお続いていた。１８９６年には南部でジム・クロウ体制（黒人隔離法）が導入され、飲食店、学校、教会など、あらゆる場所で黒人は差別されていたのである。

キング牧師を中心とした公民権運動が本格的な活動へと発展したきっかけは、１９５５年アラバマ州で起こったバス・ボイコット運動だった。

黒人女性のローザ・パークスが市営バスで白人に席を譲らなかった罪で逮捕されたことに対し、何千人もの黒人がバスへの乗車を拒否。1年に及んだこの抗議行動は黒人の復権に大きな希望をもたらすことになる。

これを足がかりに国内では人種差別への関心が高まり始め、公民権運動の参加者には白人の姿もみられるようになった。

そして、黒人の復権を求める数々の平和的デモや座り込みを経て、キング牧師率いる一行は１９６３年に首都ワシントンで約25万人の大規模なデモ行進を決行した。この時に行われたのが「私には夢がある」の文句で有名なキング牧師の演説である。

同年、ケネディ大統領は人種差別体制を打破する公民権法案を提案した。ケネディはほどなくして暗殺されたが、のちに就任したジョンソン大統領によって公民権法は可決する。

1964年、キング牧師はノーベル平和賞を受賞したが、その4年後、メンフィスで白人暗殺者の凶弾に倒れてしまう。アトランタの教会で行われた葬儀には10万人以上が詰めかけ、アメリカ中が彼の死を悼《いた》んだ。

本来であれば国民に受け継がれるはずだった彼の非暴力的統合という理想は、同時期に加熱したベトナム戦争の反戦運動にとって替わられる。その時、おざなりにされた問題の本質は現代も深く根ざしたままだ。

だが、彼が生涯をかけて取り組んだ公民権運動は、少なくとも人種差別の根本に鋭く切り込んだ行動として歴史に名を刻んだ。アトランタにある彼の墓前には、今も花を手向ける人々の姿が後を絶たない。

6章

その“街”で、一体何が起きたか
〈中東・アフリカ編〉

エルサレム〈イスラエル〉

宗教と歴史が複雑に絡み合った聖なる地

■聖地エルサレムとは何か

ユーラシア大陸、アフリカ大陸、そしてアラビア半島を結ぶ東地中海沿岸の国であるイスラエル。その首都で、国のほぼ中央に位置するのがエルサレムだ。面積50平方キロメートルとけっして広くはないこの都市は、ユダヤ教、キリスト教、イスラム教という3大唯一神教の聖地である。

この3つの宗教の聖地がなぜここに集中しているのかといえば、ユダヤ教徒にとっては往時の都で、ユダヤ教の中心となる神殿が建っていた地であり、キリスト教徒にとってはイエスが処刑され復活した地である。また、イスラム教徒にとっては開祖ムハンマドが昇天した地だからだ。

そのエルサレムは旧市街、新市街、東エルサレムの3地区に分かれ、そのうち石壁に囲まれた旧市街に各宗教の聖地を象徴する建物や遺跡が数多く残されている。なかでもユダヤ教の「嘆きの壁」、キリスト教の「聖墳墓教会」、イスラム教の「岩のドーム」はそれぞれの信者にとって最も重要な建物だ。

■「嘆きの壁」に刻まれた歴史の痕跡

そもそもエルサレムが都市としての機能を持ったのは、前1000年頃に遡る。ダビデ王が12の部族をまとめてひとつの国家イスラエルを建国した時の首都がここエルサレムだ。

その後、イスラエルは北のイスラエル王国と南のユダ王国とに分裂し、この時「ユダヤ人」という言葉が生まれたと考えられている。ユダ王国はエルサレムを首都とし、前10世紀にソロモン王によって第1神殿が建てられた。

しかし、新バビロニアによって神殿は破壊され、ユダ王国は滅亡。ユダヤ人はバビロン捕囚となり、エルサレムへの帰還が許されたのはそれから50年後のことである。

そして、彼らは前515年頃に第2神殿を再建してユダヤ教を確立し、その後ヘロデ王が神域を拡張するが、西暦70年、ローマによってエルサレムは陥落し神殿は消失する。そしてユダヤ人は世界各地へと離散するのだ。

この時に焼け残った壁が「嘆きの壁」で、かつてユダヤ人は1年に1日だけここに立ち入ることが許されたという。

その嘆きの壁は現在、高さ約18メートル、長さ約60メートルで、下層の巨大な石組みがヘロデ王時代のもの、その上がローマ帝国時代のもの、さらにその上がオスマン帝国時代のものである。壁の前では、今日も黒い服装をした敬虔《けいけん》なユダヤ教徒たちが祈りを捧げている。

■「聖墳墓教会」と「岩のドーム」の秘密

イエスが誕生したのは、前4～6年頃のことだ。エルサレムから南に約10キロメートル下ったベツレヘムが生誕の地といわれている。

それから30数年後、イエスはエルサレムのゴルゴダの丘で磔の刑に処せられるが、そのゴルゴダの丘と考えられている場所に建つのが「聖墳墓教会」だ。

この教会は３３６年、ローマ時代に建立され、約３００年後、ペルシア人に破壊されて再建された。１００９年に再びエジプトのカリフによって破壊されるが、11世紀の十字軍時代に蘇る。そして１８００年代初めに火事にあい、十字軍時代の建物をベースにまた再建されるのだ。

聖墳墓教会は、すべてのキリスト教徒にとって最も神聖な場所である。ローマ・カトリック、ギリシア正教、アルメニア、コプトといった各派が区分管理しているのもそのためである。

また、イスラム教徒にとってメッカ、メディナに次ぐ第3の聖地といわれるのが「岩のドーム」である。

このドームは691年、エルサレムを征服したイスラム教団国家のアラブ軍によって建てられた。開祖ムハンマド（マホメット）が昇天したという岩を保護する寺院で、丸屋根は黄金色に輝き、壁はブルーのタイルで飾られている。

この建物もまた一時期、キリスト教の聖堂にされたり、戦争で破壊される度に改装が繰り返されるなど、複雑な歴史が刻まれているのだ。

■現在も続く聖地エルサレムを巡る戦い

エルサレムは70年の陥落以後、征服と奪回が繰り返され、ローマ、ビザンツ帝国、ムスリム、十字軍、オスマン帝国、イギリス統治と次々に支配者が変わっていった。言い換えればエルサレムの歴史は戦いの歴史であり、それは現在も続いている。

問題は、いわゆるパレスチナ問題だ。イスラエルあたりはもともとパレスチナと呼ばれていて、世界各地に離散していたユダヤ人が19世紀後半、続々とパレスチナに戻ると、既にそこに住んでいたパレスチナ人（アラブ人）とユダヤ人との間で衝突が起こる。そして1947年、国連はパレスチナをパレスチナ人とユダヤ人の国家に分割するのだ。

しかし翌年、ユダヤ人はイスラエルの建国を宣言し「第1次中東戦争」が始まる。そして、エルサレムの旧市街を含む東側はヨルダン、西側はイスラエルの支配下に入る。1967年に起こった「第3次中東戦争」ではイスラエルが東エルサレムを占領し、1980年にエルサレム全域を永遠の首都と宣言するのだ。

一方、パレスチナ側も1964年にPLO（パレスチナ解放機構）を結成し、イスラエルに対するゲリラ活動を始める。

ようやくこの問題に明るい兆しが見えてきたのは1993年のことである。イスラエルとPLOはワシントンで「パレスチナ暫定自治に関する諸原則合意」、いわゆる「オスロ合意」に調印するのだ。

しかし、2000年に行われた話し合いでは、エルサレムをイスラエルが永遠にして不可分の首都とするのに対し、パレスチナは東エルサレムを将来のパレスチナ独立国家の首都と主張するなど真っ向から対立している。

２００３年にはパレスチナ問題を２００５年までに解決するロードマップが作成されたが、その後もミサイル攻撃や自爆テロが相次いでいる。

２０１２年には国際社会においてパレスチナは国家として認められたが、しかし国内の混乱は収まらず、紛争は続いており、この地域の平和は程遠い。

歴史と民族と宗教が複雑にからみあったパレスチナ問題が解決される時、世界史の新たな一歩が踏み出されるといっても過言ではないだろう。

イスタンブール〈トルコ〉
ローマ帝国、オスマン帝国…国家興亡の舞台

■ヨーロッパとアジアにまたがる都市

東と西、新と旧が渾然と一体化した古都イスタンブールは、ヨーロッパとアジア双方に

またがるという世界的にも稀有《けう》な都市である。

ヨーロッパサイドの南に広がる旧市街、金角湾を挟んで北側に位置する新市街、そしてアジアサイドで構成され、なかでも旧市街は数々の歴史的建造物が建ち並び、多くの観光客で賑わっている。

■書き換えられた街の名前

イスタンブールの歴史は、常に旧市街を中心に育まれてきており、数千年にわたり世界の中心舞台であり続けてきた。

そのイスタンブールの歴史は今から2500年以上も前に遡る。最初の都市が築かれたのは前7世紀中頃で、ギリシアのポリス（都市国家）のひとつであるメガラから来たビザスによってなされたといわれている。

ビザスの名にちなんでビザンティウムと命名されたこの都市は、数百年を経た330年、コンスタンティヌス帝によってローマ帝国の首都コンスタンティノポリスとなり、当時最大の国際都市として栄華を極める。

その後、ローマ帝国が東西に分裂すると、ビザンツ帝国（東ローマ帝国）の首都となってコンスタンティノープルと呼ばれるようになり、近隣の民族からの攻略にも耐え抜き、ビザンツ帝国はギリシア正教の大帝国として君臨するのだ。

このビザンツ帝国の成立は、西欧のカトリック、東欧のギリシア正教会、そして中近東のイスラム教という地中海を3つの世界に分けた新時代の幕開けだったことからも、イスタンブールがいかに重要な場所にあったかがわかるだろう。

ビザンツ帝国の首都としての機能にピリオドが打たれたのはそれから約1000年後のことである。

東南方面に興ったイスラム教のオスマン帝国によってコンスタンティノープルは陥落、イスタンブールと改名される。そして、1923年にトルコ共和国が誕生してアンカラに遷都されるまで、イスタンブールは実に1600年もの間、首都だったのだ。

その間、宗教や文化、人や物などありとあらゆるものがイスタンブールを介して東から西へ、西から東へと行き交い、そして時には融合して各地へと運ばれていったのである。

■イスタンブールの歴史は世界の歴史

こうした長い歴史のなか、イスタンブールには貴重な歴史的建造物が競い合うように建てられ、その中には時代を経るごとに役割が変わっていったものも少なくない。つまり、建造物ひとつとってもイスタンブールの歴史の変遷を垣間見ることができるのだ。

その代表が「アヤソフィア大聖堂」である。この聖堂は高さ約55メートル、直径約31メートルの大ドームを持ち、無数の窓から光が差し込むことから〝光の大聖堂〟とも呼ばれている。

360年にはコンスタンティヌス帝がキリスト教の聖堂として建立し、焼失と破壊が繰り返され、537年にユスティニアヌス帝によって再建されている。

しかし、メフメット2世がオスマン帝国を築くと彼はここをイスラム教のモスクであるアヤソフィア・ジャーミーとし、すべての十字架を取りはずして、代わりに聖都メッカの方角を示す壁龕《へきがん》やミナレット（尖塔）をそえ、またキリストや聖母などが描かれたモザイク画を漆喰《しっくい》で塗り固めるなど次々と手を加えていったのだ。この建物は、現在は博物館となっている。

イスタンブールはまさに都市そのものが歴史の宝庫であり、イスタンブールの歴史を知れば世界の歴史もおのずと見えてくるのだ。

テヘラン〈イラン〉
近代都市へと変貌を遂げたイラン革命勃発の地

■イスラム革命の本当の衝撃

カスピ海の南、4000メートル級の峰々が連なるアルボルズ山脈の南山麓に位置するテヘランは、近代的な建物が建ち並ぶ大都会である。そのなかでもひときわ目をひく建物が、高さ45メートルの逆Y字型をしたアーザーディー・タワーだ。これはイラン（ペルシア）建国2500年を記念して1971年に建てられた。

イランはその昔、アケメネス朝ペルシア、そしてササン朝ペルシアという大帝国の中心にあった。王政が廃止されて現在のイラン・イスラム共和国が誕生したのは、今からわずか40年前だ。そのきっかけとなったのが「イラン・イスラム革命」である。

イラン・イスラム革命はここテヘランを震源地として、1979年に起こった。革命の発端は、イラン最後の王朝パフレヴィー朝のパフレヴィー2世が強行した「白色革命」という近代化政策にある。この政策は貧富の差を広げ、また農村の荒廃を招いた。

国民の不満はしだいに募り、ついにテヘランのコムという地でイスラム教神学生と治安警察が衝突した。そして数千人という犠牲者が出たのをきっかけに、反政府運動は瞬く間に全国へと広がっていった。収拾しきれなくなった国王は翌年、国外に退去しイラン・イスラム共和国が樹立する。

しかし、翌年には「イラン・イラク」戦争が勃発した。ほぼ全土にわたってイランは爆撃を受け、終止符が打たれるのは１９８８年のことだ。ここからイランの、そしてテヘランの現代へと続く新たな歴史が始まるのだ。

バグダッド〈イラク〉
オリエント世界の中心が、その後たどった道のり

■フセイン政権崩壊の背景

大量破壊兵器を保持するフセイン独裁体制の打倒に、イラクの民主化――。このふたつ

を主な名目に米英軍がイラクを攻撃したのは2003年3月のことだ。そして攻撃開始から21日たった4月9日に首都バグダッドが陥落し、フセイン政権は事実上崩壊した。

この「イラク戦争」によって最もダメージを受けたのは、当然のことながら主要施設が置かれていたバグダッドである。

米英軍はトマホーク巡航ミサイルや精密誘導爆弾などを使って、チグリス川西岸に建つ大統領宮殿（共和国宮殿）や共和国防衛隊施設、バース党支部や政府中枢施設を次々に攻撃、米英軍やイラク軍兵士のほか多数のバグダッド市民が犠牲となったのだ。

イラクはこれまでに1980年の「イラン・イラク戦争」、1991年の「湾岸戦争」といった大きな戦争の舞台となったが、その中心にいたのがフセイン元大統領だった。イラン・イラク戦争の時はイラン革命の波及を恐れてイランを攻撃し、湾岸戦争の時は経済危機に陥ったため豊かな石油資源を求めてクウェートに侵攻したのだ。

イラク戦争では、先に攻撃を仕掛けたわけではないが、フセイン元大統領の存在が開戦のカギとなった。

そのフセイン政権下のイラク国内は、バグダッドをはじめ至るところにフセインの銅像や肖像画が置かれていた。しかし、それもイラク戦争によってことごとく破壊されている。

■アッバース朝時代に最盛期を迎える

イラクの首都バグダッドはかつて、数百年もの間オリエント世界の中枢を担っていた。

バグダッドが最初に首都となったのは今から13世紀前、8世紀のことである。750年に興ったアッバース朝が、ダマスカスからバグダッドに首都を移転したのだ。

当時の王、マンスールは大帝国の首都にふさわしい新首都建設を思い立ち、寒村だったバグダッドにマディーナ・アッサラーム、すなわち平和の都市という円城都市を建設する。

現在、遺跡は何ひとつ残されていないが、それは外堀と高さ18メートル、長さ7キロメートルに及ぶ三重の城壁に囲まれ、その中には宮殿や大モスク、法務省や税務省といった10の官庁が設けられていたという。

この円城都市は3万人の人々が働く一大行政センターであり、宮殿を中心にしてその周りに官庁を置くことで中央集権体制を確立し、同時に王の絶対なる権力を人々に見せつけようとしたと考えられている。

また当時、この円城都市を中心にユーラシア大陸の各地に幹線道路が敷かれていたことがわかっており、それは、はるかスウェーデンまで延びていたという。

これは近年、スウェーデンのビルカ島からマディーナ・アッサラームと刻まれた銀貨が発掘されていることからも明らかだ。

さらにこの時代、バグダッドを中心にメソポタミア地方ではアラビア語とイスラム教による学問が開花するなど、まさしくバグダッドはオリエント世界の中枢となり、それはアッバース朝がモンゴル軍に倒される１２５８年まで続くのである。

■メソポタミア文明の中心地として

ところで、アラビア半島とアジア大陸が交差する地に、かつて肥沃な三日月地帯と呼ばれる場所があった。それは現在のイラクとシリアにまたがる一帯を指し、４大文明のひとつである「メソポタミア文明」はここで発祥している。

メソポタミアとはふたつの川の間という意味で、メソポタミア文明はチグリス川とユーフラテス川に挟まれた地域で繁栄していく。今のバグダッドを中心とした地域こそが、まさしくここに当てはまるのだ。

その後メソポタミアは統一され、アッカド王国、バビロニア王国、アッシリア王国、そして新バビロニア王国が統治する。

メソポタミア文明とは、一般的にメソポタミアの統一から前５３９年に新バビロニア王国がアケメネス朝ペルシアに滅ぼされるまでの約３０００年間をいう。

その後、バグダッドを中心としたイラク一帯はアレクサンドロス帝国、セレウコス朝シリア、ササン朝ペルシア、そしてアッバース朝と入れ替わり立ち代わり、新しい王朝に支配されることとなる。

もともと肥沃な地をめぐって争いの絶えなかったバグダッド。しかし今後は、かつて名づけられたマディーナ・アッサラーム＝平和な都市として続くよう願うだけだ。

メッカ〈サウジアラビア〉
異教徒は立ち入りできないイスラム教の聖なる地

■多くの人々が集まる巡礼の地

イスラム教の三大聖地といえば、メッカ、メディナ、エルサレムを指す。このうち、前者のふたつがアラビア半島の大部分を占める国であるサウジアラビアに属している。

メッカはイスラム教の開祖ムハンマド（マホメット）が生誕した地で、カーバ神殿のある第一の聖地だ。一方、メディナはメッカで迫害されたムハンマドを受け入れた地で、イスラム教に関連した遺跡が数多く残されている。

現在、メディナとメッカでは異教徒の立ち入りはほとんど認められていない。そんなメッカとは、いったいどんな街なのだろうか。

メッカはカーバ神殿を祀った聖モスク（大モスク＝グレートモスク）を中心に、ホテルなどの近代的な建物が建ち並び、また道路も整備されている。

イスラム教5柱のひとつに、すべてのイスラム教徒は一生に一度はメッカ巡礼を行うこととあり、そのため巡礼月になると街は世界各国から集まったイスラム教徒で埋め尽くされるのだ。巡礼月とはイスラム暦の1年の最終月をいう。

その巡礼はメッカ周辺の聖域に足を踏み入れる前、イフラームという縫い目のない2枚の布に着替えることから始まる。

そして、聖モスクに着いたら中央に建てられているカーバ神殿を7周し、またラフマ山で説教を聞いたり、小石を拾ってそれを悪魔に見立てた3本の柱に投げたりする。

巡礼は1日ではなく数日かけて行われ、２００４年はイラク戦争の影響で例年よりも少なかったが、それでも200万人以上もの人が集まったという。こうして1年の大イベントが過ぎると、メッカはまたもとの静寂な街に戻るのである。

■商業と宗教の中心地から精神の中心地へ

紅海から内陸に約80キロメートル入ったメッカは、すでに6世紀には地中海とアジアを結ぶ貿易の中継地であり、各地から巡礼者が頻繁に訪れたという、古代アラビアにおける商業および宗教のうえで重要な役割を果たしていた都市であった。

ただし、宗教について現在と大きく異なる点がある。

ムハンマドが誕生する前のメッカは多神教で、街の中央にはカーバという神殿が建てられていた。このカーバ神殿の主はアッラーと呼ばれ、そのアッラーの下には、300以上の神や女神がいたという。イスラム教が成立する以前からアッラーはこの地で最高神として信仰を集めていたのである。

570年頃にムハンマドが誕生すると、610年に啓示を受けた彼は預言者であることを自覚し、イスラム教を創始した。

メッカの大商人たちは、富を独占することを批判するこの新しい宗教を憎み、やがてムハンマドは迫害されヤスリブ、のちのメディナに行くのだ。

これを聖遷、すなわち「ヒジュラ」と呼び、ヒジュラが行われた６２２年は、のちにイスラム暦の紀元元年とされている。

その後、メッカの人々とムハンマドとの間で戦いが繰り返されるが、６３０年、ムハンマドは無血のままメッカに入城するとカーバ神殿の偶像を壊し、イスラム教の聖殿とした。

以来メッカは、イスラムの精神的中心地となる。そしてムハンマドの教えはその死後、カリフと呼ばれる預言者の代理人たちに受け継がれ、アラビア半島から世界へと広まっていくのである。

アレクサンドリア〈エジプト〉
海底に沈んだクレオパトラの都ってどこのこと？

■エジプト文明最後の首都
１９９６年、考古学上、20世紀最後の大発見といわれるニュースが世界中を駆け巡った。

エジプトの首都カイロから北西に210キロメートル、地中海に面するアレクサンドリアの海底から、古代エジプト最後の女王クレオパトラが暮らした都の跡が発見されたのである。

その後、数年にわたる発掘調査によってスフィンクスやオベリスク、金の指輪やクレオパトラの子カエサリオンと思われる胸像、クレオパトラの宮殿の一部や神殿跡などが次々と発見されている。

また、ギリシア彫刻やイタリア産のワイン壺などエジプト以外の遺物も多数見つかり、ここアレクサンドリアは、クレオパトラが生きた時代にはすでに国際色豊かな都市だったということが決定づけられたのである。

クレオパトラが女王に君臨したのは、今から約2000年前の前51年のことだ。エジプト文明最後の王朝プトレマイオス朝時代の時だが、しかし政治的権力を握っていたクレオパトラは夫であり弟でもある王プトレマイオス13世に疎まれ、エジプトから追放されてしまう。

そこでクレオパトラは、ローマの将軍ユリウス・カエサル（ジュリアス・シーザー）に力を貸りて王の座を奪回し、カエサルとの間にカエサリオンという男児をもうけるのだ。

しかし、カエサルが暗殺され大きな後ろ盾を失うと、クレオパトラは今度はローマの三頭政治家のひとりでカエサルの部下だったアントニウスと結婚し、アントニウスからオリエント地域の一部を与えられる。

これに怒ったのがローマ元老院だった。アントニウスは元老院から激しく糾弾されてしだいに権力を失っていき、そしてエジプトの覇権をめぐるアクティウムの戦いに敗れて自殺、クレオパトラも後を追うようにして自殺する。

こうしてエジプトはローマの属州となり、３０００年にわたる長い歴史に終わりを告げるのだ。

■交易都市が学術の都になるまで

しかしアレクサンドリアは、クレオパトラの時代に入ってから急に国際都市に変貌したわけではない。

そもそもアレクサンドリアに都市が築かれたのは、クレオパトラの時代からさらに遡った前３３２年頃である。

当時、エジプトはペルシアの属州だったが、マケドニアのアレクサンドロス大王がペルシア軍を打ち破り、エジプトの新しい王となる。そしてギリシア風の新しい首都を建設し、自らの名前をとってアレクサンドリアと命名したのだ。

こうしてアレクサンドロス大王は、東はインダス川流域から西はエジプトまでの大帝国を支配下に置くのである。

首都となったアレクサンドリアはその後、交易の要衝地となり、人や物だけでなく文化や学術などあらゆるものが集結する。

なかでも特筆すべきものは、前295年頃に建てられたアレクサンドリア大図書館である。これはアレクサンドロス大王の跡を継いだプトレマイオス1世が造ったもので、世界中のありとあらゆる書物を集めることを目的としていた。

その種類は文学から歴史、天文学、医学までと広範囲に及び、何代にもわたって集められた書物は70万冊あったといわれている。

ところで、海底遺跡からは世界の七不思議のひとつである「ファロスの灯台」の遺構も発見された。これは前250年頃、プトレマイオス2世によって建てられたとされ、高さ約60メートルの石造りの塔だったと考えられている。

この当時、アレクサンドリアの人口はすでに80万人を抱えていたという。

しかし、2度にわたる大地震でアレクサンドロス大王とクレオパトラの都は海底に沈んでしまったのだ。

現在のアレクサンドリアは、カイロに次ぐエジプト第二の都市であり、大規模な港湾都市として繁栄し、歴史と近代の混在した場所として多くの観光客が訪れている。

ケープタウン〈南アフリカ〉
暗い過去を乗り越え、新たな歴史を歩み始めるまで

■400年の歴史を凝縮した街

アフリカ大陸の最南端に位置するのが、南アフリカ共和国だ。その首都であるケープタウンは、喜望峰やテーブルマウンテンといった自然の名所が多いことでよく知られている。

ケープタウンの歴史は1652年、オランダ東インド会社が東洋航路の際の水と食料の供給基地を建設したことに始まる。その後、徐々にオランダから植民者がやってくるが、東インド会社が破産すると今度はイギリスがこのケープ植民地を支配する。

しかしオランダ人植民者、すなわちボーア人はイギリスの支配を嫌ってケープ植民地の北にナタール共和国、トランスバール共和国、オレンジ自由国を建国。ナタール共和国はイギリスの植民地となり、トランスバール共和国も一時イギリスの植民地となるものの武装蜂起して独立を回復する。これが「第1次ボーア戦争」だ。

次に、ボーア人がトランスバール共和国とオレンジ自由国から金とダイヤモンドの鉱山を発見すると、イギリスは「第2次ボーア戦争」をしかけ2国を降伏へと追い込む。そして1910年、3国とケープをそれぞれ州とし、まとめて南アフリカ連邦とするのだ。

しかし、1948年に主としてイギリス植民者の子孫であるアフリカーナーが政権を握ると、人種間通婚禁止法などの人種差別法を次々と立法化し、「アパルトヘイト」を確立した。そして、国内の有色人種たちは人間としての尊厳を踏みにじられた生活を強いられるのである。

ようやくこの暗い歴史に終止符が打たれたのは1991年のことだ。ここからケープタウン、南アフリカ共和国の新たな歴史が始まったのだ。

特集2

世界史のなかの
ちょっと怪しい話、
かなり気になる話

ハトホル神殿の壁画の「電球」は何を照らしているのか

■古代にも電球が存在していた？

エジプトのアビドスからルクソールに向かう途中に、デンデラという神殿がある。プトレマイオス王朝時代に造られたもので、墓地には初期王朝時代から古王国時代の終わりまでの墓がある。またハトホル神殿、ネクタネボ1世誕生殿、イシス神殿、コプト教会跡など貴重な建造物が残っていることでも知られる。

ここにあるハトホル神殿は、もともとは紀元前3000年、エジプト古王国時代に造られたものだが、プトレマイオス朝最後の女王で、美貌でも知られるクレオパトラ7世によって再建されている。外壁には、そのクレオパトラ7世と彼女の息子を描いたレリーフがあることでも有名だ。

じつは、このハトホル神殿で不可思議なものが発見された。

古い構造の部分と新しい構造の部分とが混在するこの神殿には、その古いほうの部分に3層の地下室がある。その壁に、奇妙なレリーフがあるのだ。

神官のような格好をした人物が、両手であるものを抱えている。それは野菜のナスのような形をしており、素材が何なのかはわからないが、どうやら透明のものらしく、その内部が見えている。そして、内部には稲妻のような形をしたジグザグの線が描かれている。

さらに、ナスのような形の細いほうには、ヒモ状のものがつながれている。そして、このすぐ横には、ヒヒの姿をした知恵の神・トートが包丁のような尖った道具を両手にもっているのだ。

果たして、これらのレリーフがいったい何を表しているのか、誰もその答えを見出すことができなかった。

ハトホル神殿はエジプトが生み出した技術を他国に流出させないようにするために、あえて複雑で解読しにくい図柄を使うことが多く、その内容は容易に知られなかったのだ。

ところが、この不可解なレリーフの正体に対してまったく思いがけない説が打ち出された。言い出したのは、何と電気技師である。ウィーンの電気技師でヴァルター・ガルンという人物が、これは電球であると発表したのだ。

確かに、そういわれてあらためてこのレリーフを眺めると、そう見える気もする。ナスのような形のものはまさに電球であり、電球はきちんとソケットに取りつけられ、ケーブルによってバッテリーにつながれているように見えるのだ。

そうなると、電球の中の稲妻のようなものは、もちろんフィラメントだ。そう説明しても何ら違和感のない絵柄なのである。

おまけにヴァルターは、レリーフとまったく同じ電球を作って、それが機能することを示した。機能としても間違ってはいないということなのである。

にわかには信じられない話だが、しかし、それが何らかの電気照明ではないかと考える研究者はほかにも何人かいた。というのも、ある根拠があるからだ。

神殿などの地下は太陽光線が届かないためにほとんど真っ暗闇である。にもかかわらず、精巧な壁画や文字が描かれている。いったい、どうやって作業をしたのか、それは長い間謎のひとつだった。

何らかの燃料を使って神殿の内部に明かりを灯していたのだとすれば、燃えカスである「スス」の汚れが必ず残るはずなのだが、そういった痕跡はまったく発見されていないのである。

だとすれば、照明の問題はいったいどう説明できるのだろうか。これは、誰もが考える謎である。

そして、その謎に対するひとつの答えが、ハトホル神殿の電球というわけだ。

もしも古代に電気を使って電球に明かりを灯す技術があったとしたら、神殿内に「スス」が残っていないことも説明がつく。古代の人々は、電球の煌々《こうこう》とした明かりのなかで壁画などを描いた――。

ハトホル神殿の壁画は、まさにその様子を描いているのだ。

■暗い地下室のなかでなぜ作業ができた？

もちろん、反論も多い。その多くは、これは宗教的な意味合いをもつ図柄であり、電球などとは関係ないというものだ。ナスのような形をした電球にあたる部分について、ある研究者は、中空の石碑の内部にヘビを閉じ込めて守護神として神殿正面に立てたものとしている。そして、一見して電源機器に見えるものは、宗教的モチーフである「ハスの花」であり、ヘビを閉じ込めた石碑と「ハスの花」とがつながれた絵柄であるというわけだ。

また別の説では、太陽神であるラーのシンボルである「太陽の船」をデフォルメしたものではないかとしている。この説では「ハスの花」ではなくて、「船尾の飾り」ということになる。

さらに、神聖な儀式に使われる大きな「羽根うちわ」のようなものだとする説もある。

さまざまな主張があるが、残念ながらどれにも裏づけとなる証拠がなく、決め手に欠けている。ということもあって、電球と電源機器であるという説が根強くささやかれるわけだ。

とはいえ、ナスのような形をして「電

球ではないか」と目されているものとつながっている柱状の物体は、古代エジプトにおいて魔除けとして使われていた「ジェド柱」というものではないか、という説は有力である。

さらに、球体を頭に載せて両手を上げているのは大気の神シューであり、その球体は太陽を表現しているという説もある。だとすれば、ナイフを手にしたヒヒのような動物として描かれた魔法と知恵の神トートの化身が横にいるのも納得できる。

しかし、これらのものがなぜひとつの画面におさめられているのかという根本的な問題がある。じつは、これらのものが同じ絵におさまった例はほかになく、同じ絵柄として描かれなければならない理由も判然としないのだ。

古代人は、真っ暗な地下室の中で作業をするときに便利な電球をすでにもっていた⁉

しかし、それもまた、ありえない話に思える。だいいち、もしも電球だとすると、それを作っていた工場のようなものの痕跡がないのはおかしい話だし、電力を供給する装置のようなものがいっさい発見されていないのも奇妙だ。そういう意味では、一笑に付されておわりという程度の話だ。

ハトホル神殿に描かれた電球のような

ものの正体が明かされ、これらの謎に文字通り光明がさす日が待たれるところだ。

■宇宙人が砂漠に降り立った「痕跡」

ハトホル神殿だけではない。古代の人々が、洞窟の中や崖の壁面など、自然の中のさまざまな場所に描き残した絵画が世界中で発見されている。

その多くは、何を描いたものかがおおよそ判明しているが、そのうちのいくつかは何を表現しているのかがはっきりわからない。なかには一見ふつうの人間のようにも見えるが、よく見ると人間とはまったく別の生き物としか思えない奇妙な絵柄も少なくない。

そういった、いわゆる異形のものたちの絵柄から、古代の人々は人間以外の生物との交流があったのではないか、あるいは異星人が飛来していたのではないかといった、かなり突飛な説まで飛び出している。その多くは明確な根拠がなく、取り上げる価値のないものだが、なかには常識では説明のつかないものもある。

そんな異形の生き物の絵をいくつか取り上げてみよう。

まず、まさに「宇宙人そのものを描いたものではないか」といわれているのが、アルジェリアの南部、サハラ砂漠のど真ん中にある「タッシリ・ナジェール」という台地に残る岩絵だ。

現在、世界最大の砂漠であるサハラ砂漠は、古代においては水と緑の豊かな場所だったことがわかっているが、1909年に発見されたこの岩絵にはそんな環境の下で暮らす人々の姿が生き生きと描かれている。

その中に、あきらかに人間とは異なる形をした異形の生き物が何体か描かれているのだ。

ヘルメットのようなもの、さらに宇宙服のようなもので身を固めたその大きな生き物は、じつに身長が2メートル以上もあるものの顔形ははっきりわからない。

なるほど確かに、宇宙からやってきた生き物だとしてもおかしくない風貌をしている。しかも、この生き物の頭上には宙に浮いた円盤のようなものまで描かれているのだ。

この一帯には古いものは1万年前、新しいものだと1200年ほど前の時代に描かれた岩絵が残っているが、じつはほかにも頭部に角のようなものがある人物像や、全身を宇宙服のような密閉式のカバーで覆われている人物像など、奇妙な絵柄がいくつも存在している。

それらは研究者によって、雨の神、あるいは祭祀を行っているときの衣装であるといった説も出されているが、もちろん確かな証拠はない。

その一方で、サハラ砂漠の一帯には、

過去に空から降りてきた異星人がいたとする言い伝えも残っている。

岩絵に描かれたのがいったい何者なのか、砂漠をさまよう異星人が本当にいたのか。まさに神秘的な謎である。

■黒いシルエットで描かれた人物の正体

アメリカのユタ州にも、異形の生き物を描いた岩絵が残っている。

キャピトルリーフ国立公園の入り口付近には、自然のままの巨大な岩がいくつもむき出しでそそり立っているが、問題の岩絵はそこに描かれている。

頭には丸いヘルメットのようなものをかぶっており、そのヘルメットからは羽飾りのようなものが突き出している。両手を左右に広げた姿は子供の落書きのように稚拙な印象もあるが、しかし全体から受けるのは異様な雰囲気だ。

同じユタ州のホースショーキャニオンという渓谷でも、やはり地球上に住む人間とは思えない不可思議な生き物を描いた岩絵が発見されている。

手足のない黒いシルエット状の人物が数体ただ突っ立っているだけだが、その中心にはまるでそれらを支配しているかのような、やや大きめの人物像が立っている。

その人物だけは、全身に装飾をほどこした衣装を身にまとい、頭部にも派手なものをかぶっている。身長は2メートル以上もある。

現在では人が住めるような場所ではないこれらの渓谷に、なぜこのような岩絵が残っているのか。いったい何の目的があって描いたのか。そして、描かれているのはいったい何者なのか。謎は尽きない。

1000年以上前に作られたコスタリカの謎の石球

■発見場所はジャングルだった

中央アメリカ南部に位置する、太平洋とカリブ海に面したコスタリカ。その太平洋岸にディキス川という川がある。

1930年代の初め、この川の流域でアメリカの果物会社がバナナ農園を開墾するためにジャングルを伐採していた。その作業中、思いがけないものが発見された。巨大な石の球体だ。

人の手が入ったことのない大自然の中で、丸く巨大な石は異様だった。しかも、一個ではない。ジャングルのあちこちから、大小さまざまなサイズの球体が約200個も見つかったのだ。小さなものは手の平に乗るくらいだが、直径2・5メートル、重さ25トンにもおよぶ巨大なものもあった。

さらに驚くことに、その後の調査で、どの球体も直径の誤差は1％以下、つまりどれも完全な球体で、ほぼ〝真球〟であることがわかった。

じつは、かつてこの球体を日本のテレビ局が3次元スキャナーで測定したことがある。このときは９９・５８４％という驚くべき真球率であることが判明している。

石灰岩で作られたものもあるが、ほとんどは花崗岩で作られたこれらの完全な球体は、いったい誰が、何のために作ったのか。さまざまな研究者がこの球体の謎に挑んでいるが、いまだにその結論は出ていない。

有力なのは、３世紀～8世紀頃にこの地域に栄えたディキス人という太古のインディオたちの手によるものではないか、という説だ。

■想像を絶する作業時間

この球体にまつわる謎のひとつは、原料となった花崗岩の産地にある。

発見場所から約15キロメートルの場所で花崗岩の地層が発見されたが、そこには石を切り出したような痕跡は残っていない。そこでなければ、発見場所から半径約50キロメートルの範囲には花崗岩はまったく産出されない。

だとすれば、これらの球体を作った花崗岩は、どこから、どのようにして運ばれてきたのだろうか。あるいは、どこか遠い場所で作られた球体がこの場所まで転がされてきたのだろうか。

さらに、硬度の高い花崗岩をどのように加工して球体にしたのかも謎である。

もしも本当にディキス人が作ったものだとすれば、彼らが使うことのできた道具といえば銅かヒスイ製の工具か、せいぜい生皮かロープくらいだった。たったそれだけのもので、これら完全な球体を作ることができるのだろうか。

しかも、表面には何かの道具を使って研磨したような痕跡は残っていない。ということは、人が手を動かす作業だけで研磨したものと思われる。仮にそうだとすると、大きな球体を仕上げるのには少なくとも10年以上はかかるといわれる。

球体の数は200個である。すべてを仕上げるのにかかる手間と時間は想像を絶する膨大なものになるはずだ。

世界各地に残る巨石建造物や石の加工品に関しては、たしかに人の手を使って何百年もかけて作られたものも珍しくはない。何らかの明確な目的があれば、人はそれを成し遂げる生き物であるともいえる。

この球体にも、それだけの人を動かすだけの目的と強力な動機となるものがあったのかもしれない。

しかし、だとしたら、その目的とはいったい何だったのだろうか。

■球体の「配置」から何がわかるか

この球体には、何も描かれていない。文字も模様もない。その目的を示す手がかりはいっさいないのだ。王権の象徴的なものとして作られたとか、呪術的な目的のものであるといった説もあるにはあるが、手がかりすら存在しないのだ。

また別の研究者からは、その配置から天文学的な意味合いがあるのではないかという説も出されている。

２００個ある球体のうちの、ある４個は、正確に一直線上に並び、しかもその延長線は正しく磁北を指している。しかも、３個から最大で45個までのグループとして置かれている球体が、それぞれ星座を表していたともいわれる。

そのことから、これらは地上に設置された星座表のようなものではないかというわけだ。

また、これらの石は太陽系の惑星運行を忠実に再現しており、それを利用して祭祀に使うために作られたものであるとする説もある。

しかし、残念ながら今となってはそれを確認することはできない。もともと農場を作る作業中に発見されたこれらの球体は、その後、誰かが勝手に移動したり、持ち去ったりしている。そのために元の位置がどこだったかを正確に知ることはもちろん、見ることすらできないものもあるのだ。

現在はかろうじて、その中のいくつかを博物館などで見学することができるだけである。

現在このあたりには、これら球体を作ったと考えられているディキス人の末裔といわれるインディオのポルカ族が暮らしている。しかし、そのポルカ族の中にも、これら球体にかかわる言い伝えや神話などはいっさいいない。

彼らの支配者階級の墳墓からは、今でも同じような小型の球体が発見されることや、神殿の周辺に同じような巨大球体が置かれていたのではないかと思われる

痕跡が発見されることもある。

中央アメリカに住んでいたディキス人が築いた文明は、マヤ文明圏でもアステカ文明圏でもなく、チプチャ文明という独自の文明圏に属することで知られている。

しかし、そのチプチャ文明圏に関しては、いまだにその正確な範囲や特徴が解明されていない。

もしかしてこれら石の球体は、そのチプチャ文明の実態を伝える重要な手がかりだとも考えられる。もしそうだとすれば、石の謎が解明されれば、未知の古代文明を知る大きな手がかりになる可能性もあるということだ。

オルメカ文明の人頭像がかぶる「ヘルメット」の秘密

■柔和な表情とミスマッチなヘルメット

中央アメリカのメキシコ北部からホンジュラス周辺までの地域は、紀元前から数々の古代文明が栄えた地として世界的に知られている。

そんななかで紀元前１５００～紀元前４００年頃までの間にメキシコ湾岸地方で栄えたのが、オルメカ文明である。オルメカとは、ナワトル語の「オルリ（＝ゴム）」に由来すると考えられている。

このオルメカ文明が栄えた期間のうち、紀元前９００年頃までは「前期」、それ以降は「後期」に分けられている。前期はサン・ロレンソという場所を中心とした文明だが、サン・ロレンソには２００戸ほどの集落跡が発見されている。

また後期はラ・ベンタという場所を中心とし、そこには巨大ピラミッドや大規模な地下施設をもつ宗教施設の痕跡が残されている。

しかし、オルメカ文明を特徴づけるもっとも不思議なものは、いくつもの人頭像だ。サン・ロレンソで9体、ラ・ベンタやほかの地域でも数体が見つかり、合計16体が確認されている。

最大のもので高さが約３・３メートル、重さ数十トンにもなる石製のもので、どれにも首から下の身体部分はなく、頭部だけが作られ、地中に埋められていた。

多くの人の目を引くのは、その外見である。いわゆる童顔であり、まるで赤ん坊のように見えるのだ。

大きくて丸い目とひしゃげたような鼻、分厚い唇といった顔のつくりがすべての人頭像に共通している。

ひどくあどけない表情に見えるが、アフリカ系の顔にも見えることから、アフリカ人か、アフリカからやってきた人をモデルにしたのではないかという説もある。

しかも、頭部にはヘルメットのようなものをかぶっている。ということは、これはどう見ても戦士であり、戦うための装束を身につけていると考えるのが妥当ではないだろうか。

それにしても、どう見ても勇ましい表情ではなく、柔和な赤ん坊のような表情をしているのはなぜなのか。

■神を守るために戦う兵士だった?

これらの人頭像の原料は玄武岩だが、発見された湾岸地域からは離れたところにあるトゥストラ山地から産出した玄武岩であることがわかっている。しかし最初から人頭像を作るために玄武岩を掘り出したのではなく、一度、王が座るための玉座を作り、その後、その玉座を作り直して人頭像にしたのではないかと考える研究者もいる。

いずれにしても、オルメカの人々にとって大きな意味をもつ石から作られていることは間違いないだろう。

しかし、この人頭像が作られた目的は今も不明である。本当に最初から人頭部分だけなのか、あるいは最初は身体部分もあったのか、それも謎のままだ。

ラ・ベンタでは、高さ約33メートルの土で築かれたピラミッドと基壇に囲まれた中庭、そして階段状ピラミッドなどがいくつか発見されている。

最大の基壇の前には、巨大人頭像が4体も埋められていたが、その配置はまるで階段状ピラミッドを守っているかのようだったといわれる。人頭像は、そういった目的のために作られたのかもしれない。

この人頭像の謎が解き明かされれば、いまだに謎に満ちたオルメカ文明そのものの実態もさらに解明されるはずである。

さらにもうひとつ、ラ・ベンタの遺跡の地下からオルメカ文明を象徴する不思議なものが発見されている。「ジャガー人間」だ。

ジャガー人間とは、人間の赤ん坊にジャガーの特徴を混ぜ合わせたような外見の生き物で、太った顔は一見赤ん坊のように見えるのだが、口の中には歯ではなく牙が並び、太めの肉体とカギ爪をもつ手は、まさに猛獣である。

当時の人々がジャガーに対して特別の思いをもっていたことは明らかだが、単にジャガーを崇めるだけでなく、自分たち人間とジャガーとを同化して考えていたと思われる。

動物のジャガーと人間とを組み合わせた奇妙な動物のモチーフは、オルメカ文明のなかで随所に見ることができるからだ。

ラ・ベンタの地下遺跡からも、大量に敷き詰められた石の中に485個の蛇紋岩でジャガーのモザイクが象られているのが発見されている。


奇妙なことにこのジャガーのモザイクは地上からは見ることができず、見るためには地下に入らなければならない。

そのためにこのジャガーは、地上の人々のためではなく、地下にいると考えられていた神々に向けて作られたのではないかと考えられている。もしかしたら、ジャガーの姿を通して、神々に何らかのメッセージを伝えようとしていたのかもしれない。

いずれにしても、ジャガーは人々にとって尊い存在だったのだ。

■「ジャガー人間」と巨大人頭像の接点

そもそもジャガーという動物は、中央

アメリカの古代文明においては〝雨の神〟として崇拝されてきた。このあたりは雨が少ない地域だが、人々が生きていくためには雨は不可欠である。その雨に対する人々の思いが、ジャングルで最強の動物であるジャガーと結びつき、いつの間にか信仰の対象となったのだ。

オルメカの人々は自分たちの祖先はジャガーだと信じていたらしい痕跡も残っており、さらには人間とジャガーの性的な交わりを表す石像さえも残されている。

ほかにも、ジャガーをモチーフとしたものが数多く見られる。

たとえばサン・ロレンソにはジャガー人間をもとにした記念碑があり、ラ・ベンタでは祭壇のような彫刻の一部にジャガーの口の部分が彫られたり、ジャガーの模様のモザイクが見つかっている。また、オルメカの工芸品の多くはジャガー人間をモチーフにしたものである。

そして、謎の人頭像も、もともとはこのジャガー人間がモチーフになったものではないかとも考えられている。

今のところその確証はないが、巨大人頭像の赤ん坊のような顔とジャガー人間に近い印象があるのは確かだ。少なくとも、人間ではない特別な存在のものに対して、オルメカの人々がジャガーのような風貌を想像していたことは考えられる。

じつは、オルメカ文明が紀元前４００

年頃に終焉したあとも、ジャガー人間のモチーフだけは中米各地で生き続けた。とくにその外見は、その後、中米に現れたほかの文明社会においても神の顔として生き続け、あるいは同じモチーフから発展したのではないかと思われる神の姿も見られる。

中米で栄えた数々の文明のなかでオルメカはかなり高度な文明社会であり、ほかの文化への影響力も大きかったとする説が有力だ。あのマヤ文明の母体となったのがオルメカだったとする研究者もいるほどである。

だとすれば、オルメカで生まれたジャガー人間のモチーフが、時代を超えて周辺の文明に広まっていったのも納得できる。

いずれにしても、謎の巨大人頭像とジャガー人間について、その正体が解明される日が待たれている。

アッシリアの水晶レンズは何のために作られたのか

■倍率4倍の古代のレンズ

人類が、視力を補う力のあるレンズというものを発明したのは9世紀のことである。アラビアのある数学者が、適度な大きさにカットしたレンズを目に当てて、それを通してものを見ると、衰えた視力が補われて見えにくかったものもよく見えるようになると発表した。その後、ルーペの原型のようなものが発明され、13世紀にはいよいよメガネが発明される。

さらに、レンズそのものの原理が解明され、それを応用して顕微鏡が作られたのは16世紀末。17世紀初頭には望遠鏡も発明されている。

これが一般的に知られているレンズの歴史である。ところが、その常識を覆す発見がなされた。

メソポタミア（現在のイラク）の北部に、紀元前2000年頃に起こったアッシリアという王国があった。チグリス川とユーフラテス川の上流地域に栄えた国家で、のちに古代エジプトを含む帝国を築き、ペルシア帝国へと連なる国である。

そのアッシリアの首都はニネヴェという都市だったが、ここでレンズの歴史を変えるものが発見された。

19世紀、イギリスの考古学者がそこで宮殿遺跡を発掘中、偶然、1個の透明な水晶レンズを発見したのだ。

直径約3・4センチメートル、片側が球面、片側が平面になっており、いわゆる平凸レンズである。焦点距離は約11・4センチメートル、約4倍の倍率と考えられる。

残念ながら表面にヒビが入っているが、サイズも形も望遠鏡や顕微鏡に用いるのにちょうどいい。作られたときにはもちろん透明なレンズであり、ものを拡大するのに何の問題もなかったはずだ。

よく調べてみると、表面には明らかに機械的なものを使って研磨された痕跡があった。アッシリアの人々は、すでに何らかの研磨技術をもってレンズを作っていたと考えられるのだ。

出土した遺跡は、紀元前721〜705年のものといわれるのだが、果たしてこのレンズはその時代に作られたものなのだろうか。

だとすれば、人類は一般に知られているよりもさらに約1500年も前にレンズというものを作り出し、何らかの目的に使っていたことになるのだ。

■偶然か、それとも必然か

しかも、レンズが発見されたのは、ここだけではない。

たとえば、エジプトのサッカラにある古代王家の墳墓からも水晶製の凸レンズが発見されている。また、紀元前11世紀以降の小アジアで古代ギリシャの植民地として繁栄したエフェソス遺跡からは精巧な凹レンズが出土しているし、紀元前20世紀頃のギリシャのクレタ島遺跡からも水晶レンズが発見されている。

もしこれらのレンズが本物であれば、人類は今考えられているよりもはるか以前からレンズの知識をもち、その原理を利用していたことになる。

にわかには信じられない話だが、もし古代社会にレンズが存在すれば、それはそれでうまく説明できるものもある。

たとえば、古代の人々が天体の運行や星座についてのかなり正確な知識をもち、そこから占星術などが生まれたことはよく知られているが、もしも古代メソポタミアやエジプト、ギリシャの人々がレンズをもっており、それを使って望遠鏡のような道具を作ったとすれば、そのこともうまく説明がつく。人類はかなり早い時期から空に向かって強い関心をもち、そのための道具を使って天文学の知識を得ていたことになるのだ。

考えようによっては、逆に天体に対する好奇心がレンズという便利な道具を生み出すきっかけになったとも考えられる。

果たして、この水晶レンズは本物なのだろうか。

もちろん、反対する意見も多い。多くの考古学者たちは、これらのレンズにはものを拡大する機能はあるものの、実際にそのために用いられていた可能性は低いという。その主な用途は、宗教儀式などで太陽光を集めて熱を発生させるものだったと考えている。

また、別の考え方として「象嵌《ぞうがん》」に利用されたのではないかという意見も多い。ある型に、何らかの素材を流し込むことにより、ひとつの形のある物体を作り出す象嵌はすでに古代の人々の間に知られている技術だった。水晶のレンズも、それによってたまたま生み出されたものだというわけだ。

今のところまだ確かな結論は出ていないが、アッシリア以外でもレンズが発見されているということは、これからももしかしたら、どこかで古代のレンズが見つかる可能性があるのである。

『マハーバーラタ』に記された時代錯誤な「飛行機械」

■聖典に描かれたその恐るべき破壊力

大空を駆け巡る〝飛行機械〟といえば現代ではジェット旅客機やジェット戦闘機をすぐに思い浮かべるが、4世紀頃のインドでも現代と同じような空飛ぶ乗り物をすでに知っていたとすれば、それは驚くべきことである。

しかし、不思議なことにインドの聖典には空を飛ぶ飛行機械がまさしく兵器としか思えないような形で描かれているのだ。

インドには古くから伝わる神秘的な伝説や教訓などを記した大叙事詩がいくつかある。

なかでも紀元前500年頃に記されたという『マハーバーラタ』は「バーラタ族の戦争を記す叙事詩」という意味だが、

この中には何と核を搭載した飛行機としか思えない兵器が登場する。

それは「ヴィマーナ」と呼ばれる飛行物体で、「アグネアの武器」という強力な武器を搭載している記述が残っているのである。

「アグネアという全宇宙の力が秘められた弾丸を投下すると太陽一万個が集まったほどの閃光が生じ、煙と火の柱が天空に昇った」とされ、投下された場所には「死体はひどく焼けただれ、髪や毛が抜け落ちていた」と描写されているのである。

それはともかく、この恐るべき武器を搭載したヴィマーナという飛行機械とはいったい何を意味しているのだろうか。

じつはこのヴィマーナは『マハーバーラタ』以外の古文献にも登場するのである。

インドには『ラーマーヤナ』という大叙事詩もあるが、そのなかでもヴィマーナは「考えるのと同じ速さで意のままに飛び回る」と記されている。つまり、人の思念で自由に動き回るという、現代の飛行技術よりはるかに進んだ飛行物体だった可能性がある。

■あまりに具体的な「設計図」

この「ヴィマーナ」と呼ばれる古代の飛行機の構造についての記述もじつは文

献として残っている。

11世紀に編纂されたヒンズー教の聖典『サラマンガ・ストラッドハラ』には「胴体は強く耐久性があること、素材は軽い木材を使い、形は羽根を広げて飛んでいる鳥のようでなければならない」とあり、「内部には水銀エンジンを備えつけ、その下には加熱する装置を置く」と具体的な記述がある。

つまり、水銀を加熱して何らかのエネルギーを作り、それによって空を飛ぶ機械という意味だ。

現代の科学では水銀にそれほどの強大なエネルギーが潜んでいるとは考えられていないが、これが果たして何を意味しているのかは依然として謎のままなのである。

では、ヴィマーナとはいったいどんな形をしていたのだろうか。インドのジャイナ教の寺院に装飾品として飾られているヴィマーナはまるで飛行船のような形となっているが、そのほかにインドネシアにはまるで空飛ぶ円盤のような形をしているヴィマーナがある。

インドネシアにある仏教寺院のボロブドゥール遺跡には「ストゥーパ」と呼ばれる鐘のような形をした塔がある。じつはこの鐘の形はヴィマーナを模して作ったものと伝えられているのである。

鐘形の飛行機械といえばまさしく有名

なアダムスキー型円盤のような形になる。古代人が空を飛ぶものを見るとしたら鳥くらいだと思えるが、このストゥーパには羽根がいっさいついていない。

こうなると古代に人間が空飛ぶ円盤のような飛行物体を作っていたと考えられないこともない。しかも、この鐘形ヴィマーナについては『ヴィマニカ・シャストラ』という古文献に設計図まで記載されているのだ。

それによると、このヴィマーナの高さは24メートル、幅は15メートルもあり、内部は3階層に分かれ、太陽エネルギー収束装置や発電機なども設置されている。

記述によれば、ワープのような瞬間移動まで可能らしく、操縦者の精神力によって動かすことができるとされているという。

こうなると、まるでSFの世界の話になってしまう感が否めないが、たとえそれが古代人の空想の産物だとしても、彼らの想像力のスケールがいかに大きかったことがわかる。

大空にロマンを感じ、鳥のように自由自在に飛んでみたいという気持ちは現代人でも変わらないが、それにしてもなぜ鐘のような形の飛行機械を思いつき、そしてその設計図まで考え出していたのか、このことについての理由は今でもまったくわからないのである。

天文盤「ネブラ・ディスク」がもたらした衝撃の真相とは

■センセーションを巻き起こした天文盤

「ネブラ・ディスク」はドイツで発掘された古代の天文盤で、直径30センチほどの青銅製の円盤に、金で作った月や星のようなものがちりばめられている。2005年に日本で開催された「愛・地球博」にも展示されていたので、実物を目にした人もいるのではないだろうか。

ネブラ・ディスクが発見されたのは2002年。ドイツ中部のザクセン・アンハルト州にあるネブラという街からほど近い、大きな丘から掘り出された。考古学者ハラルド・メラーによって、この天文盤は今から約3600年前、すなわち紀元前1600年頃の遺物と鑑定されている。

このニュースは、考古学界をはじめ天文学界にも一大センセーションを巻き起こすことになる。

なぜなら、それまで発掘されたヨーロッパの青銅器時代の遺構からは、天文学の知識に関する痕跡はまったく見つかっていなかったからである。

天文学を発達させた民族として知られているのは古代ギリシア人だ。彼らに先行するバビロニアでも占星術の一環として天体観測が行われており、その知識の高さは驚くべきものがあった。

それでも、バビロニアで黄道十二宮の分類を決定したのが紀元前700年頃で、惑星の運行や日食・月食の予測が可能になったのが紀元前500年頃と考えられている。

となると、もしこの天文盤が本物であれば、古代ギリシアやバビロニアよりも1000年近く前にドイツ人が天文学の知識を有していたことになるからである。

■不可解な発見のいきさつ

ネブラ・ディスクは、その発見の経緯も一風変わっていた。考古学者たちが発掘調査をしていて見つけたのではなく、何と盗掘された遺物だったのである。

このあたりは古代から人々が暮らしており、遺跡の宝庫ともいわれる地域だが、それゆえに盗掘者も後を絶たない。盗掘者から闇のルートを経てコレクターなどに売り渡されていくのである。もちろん、こうした売買は違法だ。ドイツの法律では遺物の所有権は出土した州にある。

じつは、ネブラ・ディスクも1999年に、ある天文学者が買い取りをもちかけられていた。

しかし、彼は違法な品であると突っぱねたため、その後、天文盤の行方はわからなくなってしまった。そして、ネブラ・ディスクが再び登場するのは200

2年、ニュース雑誌「フォーカス」に写真が掲載されたのである。

ここで動いたのが、考古学者でザクセン・アンハルト州立先史博物館の館長でもあったハラルド・メラーだ。例の天文学者の話も聞いていたメラーは、警察と協力して闇の故買屋と接触し、おとり捜査をしかけたのである。

取引現場で初めて天文盤を目にしたメラーは、思わず息を飲みそうになったと述懐している。

先に提示された青銅の剣は明らかに紀元前1600年頃の本物だったので、天文盤が本物なら驚くべき発見になると感じたからである。

おとり捜査はまんまと成功し、このときに所持していた天文盤、剣2本、斧1本、ノミ1本、腕輪2個のほか、隠れ家にあった残りの遺物も押収された。

■青銅器時代の驚きの天文知識

天文盤は、すぐさま専門家の分析にかけられた。

素材の銅は、オーストリアの鉱山から採掘されたもので、ほかの遺物も同様だということがわかった。また、文様を象っている金はトランシルヴァニア産のものだとみられている。

そして、天文盤としての役割だが、ドイツのルール大学の天文学者ヴォルフハルト・シュロッサーは、夏至と冬至の日の日没の位置を示したのではないかという仮説を立てている。円盤の縁にはふたつの金のラインがつけられている（ひとつは、すでにはがれ落ちている）が、この両端が日没の位置を表しているというのだ。

メラーが盗掘現場に立ってみたところ、非常に見晴らしがよく、夏至の太陽は遠くに見えるハルツ山脈の最高峰であるブロッケン山に沈むことがわかった。メラーは、ここが古代の天文台で、さまざまな天体の観測をしながら農業に必要な情報を提供していたのかもしれないと考えている。

そのほか、天文盤には円と三日月のようなものも描かれている。シュロッサーにもこれが何を表しているのか不明なのだが、メラーはこれは太陽と月ではなく、月食を表現しているのではないかと推測している。

また、月の近くで7つ集まっている星はプレアデス星団だと見られている。プレアデス星団は10年ごとに三日月の横に現れるのである。

さらにメラーは、弓形に描かれた模様は古代の太陽神信仰に見られる「夜の舟」かもしれないと推測している。夜の舟は古代エジプトでよく表現されているものだが、果たして青銅器時代のヨーロッパにも伝わっていたのだろうか。

■真贋論争の行方

盗掘者からのもち込みだったため、その真贋《しんがん》もかなり取り沙汰された。なかでも、レーゲンスブルク大学の考古学者ペーター・シャウアーは、これは偽物だと新聞に投書までしている。彼の意見は、考古学界を巻き込んでの大論争に発展した。

しかし、専門チームの詳細な研究により、2005年にはこの天文盤が少なくとも数百年以上の昔に作られたものであることが判明した。

ただ、この天文学の知識がドイツで独自に生まれたものなのか、それともどこかからもたらされたものなのかはいまだにわかっていない。たしかにドイツ中部は銅や塩の産地であり、青銅器時代から交易が盛んに行われているので、物だけでなく知識が流入してきた可能性もあるだろう。

円盤に描かれている内容も推測の域は出ていない。そのため、この図と同じ位置に天体が並ぶときには災厄が起きるといった説まで登場しているほどである。

真相は謎に満ちているが、いずれにしてもネブラ・ディスクが世界最古の天文盤であるということだけは確かなようである。

不可思議な文字が一面に刻まれたエクアドルの「純金製の銘板」

■刻まれていたのは解読不能な文字

南米にはかつて多くの文明が存在していたが、その詳細が明らかにされていないものも少なくない。

そのため、ナスカの地上絵は誰が何の目的で描いたのか、コロンビアで発見された飛行機を象ったような純金像は何をモデルにしているのかなど、好奇心をかき立てられる謎めいた遺跡・遺物も数多く残されているのだ。

こうした謎の遺物がエクアドルにも存在している。クエンカのマリア・アウグシリアドラ教会に隣接する、クレスピ神父博物館に所蔵されている純金製の銘板だ。

縦50センチ、横13センチほどの厚い純金の板で、表面は56個のマス目にきっちりと仕切られており、それぞれのマス目には記号や文字らしきものが刻まれている。

これだけを見ると、たしかに貴重な遺物かもしれないが、とりたてて奇妙なところはないように思える。

だが、不思議なのはその文字だ。ここに刻まれた文字はまったく解読が不能で、どこに起源をもつ文字なのかも判明していないのである。

■アトランティス文明との関係

クレスピ神父博物館は博物館とは名ばかりの粗末な小屋である。

クレスピ神父は考古学については素人で、並べられている品々も近隣の人々が遺物と称してもち込んできたものだ。神父はそれを鑑定にもかけずに買い取っているという。もともと研究のための収集ではなく、人々の救済が神父の目的だからである。

当然のことながら展示品にはガラクタ同然のものも多いが、本物ではないかと思われる遺物が数十点ほどある。それらはすべてが純金でできており、記号や絵文字などが刻まれているという。純金製の銘板もそのなかのひとつだ。

数語だけは古代中東で使われていた北方セム語系に由来するのではないかと見られているが、残りの文字は意味不明である。また、工芸品としてもどの文明にも類似のスタイルは見つからない。

そんなことから、神父自身はこれがアトランティスに起源をもつ文字なのではないかと考えている。アトランティスは高度な文明をもちながら一夜にして姿を消したと伝えられる幻の大陸だ。

アトランティス実在論者の間ではさまざまな候補地が挙げられているが、神父はアトランティス文明の流れを汲む遺跡が密林の奥深くに残されているのではないか、と信じているのである。

■地下トンネルの調査が明らかにしたこと

一方、宇宙考古学者のエーリッヒ・フォン・デニケンは博物館に所蔵されている純金の遺物は、エクアドルとペルーの間に存在する地下の巨大なトンネルから発掘されたものだと主張している。

彼は１９７２年、ペルー人探検家のファン・モーリスとともに、このあたりの地底トンネルのいくつかを調査した。トンネル内部の壁は非常になめらかに磨き上げられており、奥の大きな部屋には何千枚という黄金の銘板や細工物があったと報告している。

その後、博物館の展示品を確認したデニケンは、それらがこのトンネルから持ち出されたものに違いないと断言した。彼の主張は、高度な知識をもつ地球外生命がこれらを作り出したのであり、刻まれた文字も彼らの言葉だというのである。

ただ、このデニケンの探検はやや怪しいところもある。たしかに、このあたり、とくに太平洋側の海岸地域には地下トンネルが多数存在はしている。しかし、ほかの地質学者や考古学者の調査によれば、人工的なものは何も見当たらないというのだ。

のちにデニケンもこの報告にはいくつ

かのフィクションも混じっていると述べている。

■謎の文字の起源をたどっていくと…

銘板の内容はいまだに判明していないが、純金を使って作られているということは、少なくとも何らかの意味のあった品なのだろう。そこに書かれた文字や記号も単なる装飾だとは思えない。

アメリカ大陸ではリビア文明の痕跡も数多く見つかっており、クエンカでもリビア語の碑文が発見されたことがあるという。銘板の文字はリビア語ではないもののの、このようにほかの地域からもたらされた文字だったり、そこからオリジナルの文字を考案した可能性も否定できない。

銘板に刻まれた文字をもたらしたのはいったい誰だったのだろうか。今後さらに研究が進めば、それが解明される日がくるかもしれない。

●参考文献

「古代遺跡世界編」（斎藤忠、学生社）、「世界の七不思議」（庄司浅水、社会思想社）、「不思議おもしろ世界史」（三浦一郎・山口修、三笠書房）、「世界不思議物語」（平川陽一、廣済堂出版）、「世界史物語」（西村貞二、講談社）、「世界史の知」（樺山紘一、新書館）、「ポンペイの滅んだ日」（金子史朗、原書房）、「ハプスブルク家の人々」（菊池良生、新人物往来社）、「ローマ―ある都市の伝記」（クリストファー・ヒバート、横山徳爾訳、朝日新聞社）、「ヴェルサイユ宮廷の女性たち」（加瀬俊一、文藝春秋）、「世界歴史紀行フランス」（紅山雪夫、読売新聞社）、「ジャンヌ＝ダルク」（堀越孝一、朝日新聞社）、「ジャンヌ・ダルクの実像」（レジーヌ・ペルヌー、高山一彦訳、白水社）、「魔女狩り」（森島恒雄、岩波書店）、「アンネ・フランクはなぜ殺されたか―ユダヤ人虐殺の記録―」（バーバラ・ロガスキー、藤本和子訳、岩波書店）、「ヒトラー独裁への道」（ハインツ・ヘーネ、五十嵐智友訳、朝日新聞社）、「ホロコーストの真実―大量虐殺否定者たちの嘘ともくろみ上・下」（デボラ・E・リップシュタット、滝川義人訳、恒友出版）、「中国の歴史9　人民中国の誕生」（野村浩一、講談社）、「中国五千年　上」（陳舜臣、平凡社）、「始皇帝と兵馬俑」（今泉恂之介、新潮社）、「文字の発見が歴史をゆるがす」（福田哲之、二玄社）、「失われた世界超古代文明」（鈴木旭・最上孝太郎、日本文芸社）、「古代遺跡」（森野たくみ・松代守弘、新紀元社）、「朝鮮の歴史と文化」（姜在彦、明石書店）、「目からウロコの世界史」（島崎晋、ＰＨＰ研究所）、「不思議の国インド」（紅山雪夫、トラベルジャーナル）、「世界史を変えた１００通の手紙」（綿引弘、日本実業出版社）、「ピラミッド文明・ナイルの旅」（吉村作治、日本放送出版協会）、「世界史　ミステリーの事件の真実」（瑞穂れい子、河出書房新社）、「図解雑学宗教」（井上順孝、ナツメ社）、「世界史Ｂ」（尾形勇、後藤明、桜井由躬雄、福井憲彦、山本秀行、西浜吉晴、宮崎正勝、東京書籍）、「地図と地名で読む世界史」（宮崎正勝、日本実業出版社）、「オーストラリア物語　歴史と日豪交流　10話」（遠藤雅子、平凡社新書）、「新選世界史精図三訂版」（鈴木成高、守屋美都雄、帝国書院）、「手にとるように世界史がわかる本」（小松田直、かんき出版）、「パノラマ　世界の歴史」（プランタジネット・サマセット・フライ著、樺山紘一訳、講談社）、「超古代文明」（朱鷺田祐介、新紀元社）、「古代遺跡」（森野たくみ、松代守弘、新紀元社）、「「世界のふしぎ」がわかる本」（カルチャーランド、メイツ出版）、「失われた世界超古代文明」（鈴木旭、最上孝太郎／

日本文芸社)、「オーパーツの謎」(南山宏、二見書房)、「吉村作治の世界博物探検記」(吉村作治、集英社)、「世界遺産封印されたミステリー」(平川陽一、PHP研究所)、「世界の古代遺跡ミステリー」(中村省三、グリーンアロー出版)、「神々の遺伝子」(アラン・F・アルフォード・仁熊裕子訳、講談社)、「古代メソアメリカ文明」(青山和夫、講談社)、「神々への階」(アンソニー・アヴェニ・宇佐和通訳、日本文芸社)、「2012　古代マヤ文明の暗号」(エイドリアン・ギルバート・松田和也訳、学習研究社)、「ヴォイニッチ写本の謎」(ゲリー・ケネディ、ロブ・チャーチル・松田和也訳、青土社)、「世界超古代文明の謎」(南山宏、幸沙代子、鈴木旭、高橋良典、日本文芸社)、「一冊で人類100戦争の歴史を見る」(石川達・渡辺尚人、友人社)、「現代アジアの肖像10　ホー・チ・ミン　民族解放とドイモイ」(古田元夫、岩波書店)、「キング牧師　黒人差別に対してたたかった、アメリカの偉大な非暴力主義の指導者」(V・シュローデト・P・ブラウン、松村佐知子訳、偕成社)、「謎の帝国インカ　その栄光と崩壊」(ジークフリート・フーバー、三輪晴啓訳、佑学社)、「誰も書かなかったバチカン　カトリック外交官の回想」(金山政英、サンケイ出版)、「図説バルカンの歴史」(柴宜弘、河出書房新社)、「アメリカの歴史　テーマで読む多文化社会の夢と現実」(有賀夏紀・油井大三郎、有斐閣)、「イギリス　ヒストリカル・ガイド」(今井宏、山川出版社)、「アメリカの歴史を知るための60章」(富田虎男・鵜月裕典・佐藤円、明石書店)、「フィレンツェ史」(ピエール・アントネッティ、中島昭和・渡部容子共訳、白水社)、「世界の都市の物語　フィレンツェ」(若桑みどり、文藝春秋)、「マンガゼミナール　大学受験頻出555　世界史B」(山本洋幸、学研)、「スペイン戦争」(斉藤孝、中公新書)、「スペイン・聖と俗」(有本紀明、NHKブックス)、「そうだったのか！現代史」(池上彰、集英社)、「パリ物語」(宝木範義、新潮選書)、「フランス革命」(芝生瑞和、河出書房新社)、「紀行フランス革命200年」(本城靖久・渡部雄吉、新潮社)、「粛清の嵐と「プラハの春」」(林忠行、岩波ブックレットシリーズ)、「ワルシャワ蜂起1944」(J・M・チェハニフスキ、梅本浩志訳、筑摩書房)、「ワルシャワ物語」(工藤幸雄、NHKブックス)、「ウイーン物語」(宝木範義、新潮選書)、「世紀末ウイーンを歩く」(池内紀・南川三治郎、新潮社)、「リスボンの春」(野々山真輝帆、朝日選書)、「ヨーロッパと海」(ミシェル・モラ・デ・ジュルダン、深沢克己訳、平凡社)、「ヨーロッパ　民族のモザイク」(フローラ・ルイス、友田錫訳、河出書房新社)、「歴史の都の物語　上　世界史をいろどった21の都市」(クリストファー・ヒッバート著、原書房)、「この一冊で世界の歴史がわかる！」(水村光男、三笠書房)、

「図説　インカ帝国」（フランクリン・ピース・増田義郎、小学館）、「図解　国際情勢がやさしくわかる事典」（芝村和夫、西東社）、「世界紛争地域の見かた・読みかた」（荻野洋一、双葉社）、「中国五千年　上・下」（陳舜臣、平凡社）、「くわしい世界史の新研究」（小倉芳彦・金沢誠・仁木久、洛陽社）、「20世紀現代史」（須藤眞志、三樹書房）、「この一冊でアメリカの歴史がわかる！」（猿谷要、三笠書房）、「世界史の散歩道」（綿引弘、聖文社）、「ユーゴスラヴィア現代史」（柴宣弘、岩波書店）、「世界史」（ウィリアム・H・マクニール著、増田義郎・佐々木昭夫訳、中央公論新社）、「戦争・革命で読む世界史　総解説」（三浦一郎、自由国民社）、「図説　ベルリン」（谷克二・鷹野晃・武田和秀、河出書房新社）、「街物語　北京・西安・敦煌」（JTB）、「世界歴史紀行　韓国」（片野次雄、読売新聞社）、「ボスニア・ヘルツェゴヴィナ史」（ロバート・J・ドーニャ著、ジョン・V・A・ファイン著、佐原徹哉・柳田美映子・山崎真一訳、恒文社）、「世界の都市の物語　アトランタ」（猿谷要、文藝春秋）、「キューバ変貌」（伊高浩昭、三省堂）、「図説イスタンブル歴史散歩」（鈴木薫、木村次郎写真、河出書房新社）、「図説聖地イェルサレム」（高橋正男、石黒健治写真、河出書房新社）、「図説イェルサレムの歴史」（ダン＝バハト、高橋正男訳、東京書籍）、「イスラエル」（邸景一、柳木昭信、日経BP社）、「黒いアフリカ」（北沢洋子、聖文社）、ほか

〈ホームページ〉

外務省、韓国観光公社、イラン・イスラム共和国大使館、エジプト大使館、ギリシャ政府観光局、イタリア政府観光局、フランス政府観光局、ペルー大使館、エジプト大使館観光局、韓国観光公社、サウジアラビア大使館、東方観光局、在京タイ王国大使館、旅研、総務省統計局、国連食糧計画、国連食糧農業機関、資源エネルギー庁、在パナマ大使館、アルタクセルクセスの王宮、JICA、外務省、朝日新聞、毎日新聞、読売新聞、ほか

※本書は「世界史　謎の収集」（2003／青春出版社）、「世界で一番おもしろい世界史」（2004／同）、「地図でわかる世界史」（2009／同）、「地理から読みとく世界史の謎」（2014／同）「この一冊で「いま」がスッキリわかる！　世界史と世界地理」（2016／同）「オーパーツ　遺された超古代の謎」（2009／同）の内容に、新たな情報を加え、再編集したものです。

編者紹介

歴史の謎研究会
歴史の闇にはまだまだ未知の事実が隠されたままになっている。その奥深くうずもれたロマンを発掘し、現代に蘇らせることを使命としている研究グループ。本書では、エピソードを楽しみながら、世界史の「流れ」と「ポイント」をおさえるコツを教えます。気がつけば、一生モノの知識が身につく“お勉強感”ゼロの世界史教室。

オイシい場面《ところ》がつながるつまみ食《ぐ》い世界史《せかいし》

2020年2月1日　第1刷

編　　者　歴史《れきし》の謎研究会《なぞけんきゅうかい》

発 行 者　小 澤 源 太 郎

責任編集　株式会社プライム涌光

電話　編集部　03(3203)2850

発 行 所　株式会社青春出版社

東京都新宿区若松町12番1号〒162-0056
振替番号　00190-7-98602
電話　営業部　03(3207)1916

印刷・大日本印刷　　製本・ナショナル製本

万一、落丁、乱丁がありました節は、お取りかえします

ISBN978-4-413-11318-2 C0022